빛의 책

《일러두기》

1. 작가 특유의 문체를 지키기 위한 비문이 포함되어 있습니다.
2. 특정 장소나 인물 등의 지칭은 프라이버시 보호를 위해 변경되었습니다.
3. 성경 인용 시, Douay-Rheims Bible(성 예로니모께서 번역하신 라틴어 불가타(Vulgata) 성경의 영어판)을 한국어로 직접 번역하여 인용하거나, 복음서를 최초로 번역하신 한기근 바오로 신부의 〈신약성서〉본, 한국천주교중앙협의회의 〈성경〉 등을 인용 및 참고하였습니다.

빛의 책

지은이 한사랑

발 행 2024년 1월 25일
펴낸이 한건희
펴낸곳 주식회사 부크크
출판사등록 2014.07.15.(제2014-16호)
주 소 서울특별시 금천구 가산디지털1로 119 SK트윈타워 A동 305호
전 화 1670-8316
이메일 info@bookk.co.kr

ISBN 979-11-410-6894-3

* 이 책은 네이버에서 제공한 나눔 글꼴이 적용되어 있습니다.

www.bookk.co.kr

빛의 책

가톨릭 묵상 시·산문집

한사랑 지음

BOOKK

헌사

✝

성부 성자 성령의 삼위일체 하느님과

나를 사랑해 준 모든 천상 식구,

그리고 늘 사랑을 사모할 모든 날의 나에게

그대가 자기의 것으로 지니고 있는 신념을
하느님 앞에서도 그대로 지니십시오.

(로마 14, 22)

차례

제4부 지금 이 순간

제7부 내면의 고백

제8부 원의와 기도

제9부 그 모든 소망

머리말

이 글을 '자라버린 나'에게 바칩니다.

평범한 일상을 보내던 중, 어느 연도를 기점으로 이전의 나와 달라졌다는 것을 깨달아 버린 때가 있습니다. 어떤 시간과 공간의 경계선 하나를 건너간 느낌이었습니다. 그 기점을 넘은 곳에 '자라버린 나'가 있었습니다. 담담하게 받아들이는 와중에 어쩌면 일말의 씁쓸함을 느꼈던 것도 같습니다.

수년 전 그는 아기 예수와 성면의 데레사 성녀가 이끌어주는 길을 차츰 알아가며 사랑에 겨워 뛰던 한 아이였습니다(청년이라 할 나이 때긴 하지만 젊음의 새싹 같은 파릇함이 살아있던 때이기에 아이라고 해보렵니다^^). 아이는 자신에게, 혹은 주님께, 혹은 누군가에게

17

말하듯이 거침없이 자신의 이야기를 기록했습니다. 유치함, 즐거움, 사랑, 슬픔, 다짐, 괴로움, 고민 모두…. 덕분에 이 한 영혼에 베풀어주신 우리 사랑스러운 조물주의 인자한 사랑의 증거들 또한 그 이야기들 속에 형태를 갖춘 채 남아 있게 되었습니다. 그리고 저는 그 이야기들을 모아 '자라버린 나'에게 건네기로 하였습니다.

 이 책을 가장 먼저 저 자신을 위해 썼다는 점에서 독자분들께 사과드립니다. 하지만 거기에는 사정이 있습니다. 작가 생텍쥐페리가 『어린 왕자』 이야기를 '어른' 레옹 베르트에게 바친 것과 비슷한 이유입니다.

 첫 번째로는, 당연하겠지만, '자라버린 나'가 이 책을 가장 잘 이해해주는 사람이기 때문입니다. 그는 잘려나간 행간 사이에 어떤 일이 있었는지를 알고 있고, 또 함축된 시처럼 단편적인 이 글들이 쓰이게 된 그 배경과 사건들을 기억합니다. 이 어른은 가장 오해 없이 이 글을 읽어주는 유일한 사람입니다.

 두 번째로, 이 어른은 계속해서 빛이 필요하기 때문입니다. 세월은 많은 것을 잊게 하여, 그는 이제 어렸을 적을 기억하지 못하는 어른이 될까 봐 두려움에 떨고 있습니다, 그래서 그가 찬란했던 어린 날의 은총들을 되새기며 감사하고, 또 사랑받았다는 사실을 기억하며 위로를 받게 할 필요가 있습니다.

그러나 이 책을 독자분들께도 전해지도록 펴내게 된 이유 또한 있습니다. 성경의 성 라파엘 대천사의 말씀이 제 마음을 두드렸기 때문입니다.

"그분께서는 그대들에게 은혜를 베푸셨습니다. 그대들은 하늘의 하느님을 찬송하며, 살아 있는 모든 이 앞에서 그분께 영광을 돌리십시오. 왕의 비밀을 숨기는 것은 선하나, 하느님의 일을 드러내고 고백하는 것은 영광이기 때문입니다(토빗기 12:6-7)."[1]

진심 어린 가슴으로 하느님을 생각하고, 하느님을 사랑하며, 하느님과 함께 산 그날의 기록들은 아무리 어리석은 이야기라 하더라도 사랑과 빛을 담고 있음을 발견했습니다. 그래서 하느님의 영광을 위하는 마음으로, 또 그분이 사랑받았음을 알리고 또 사랑받으시길 바라는 마음으로 이 글들을 엮어냅니다.

---

1) "Bless ye the God of heaven, give glory to him in the sight of all that live, because he hath shewn his mercy to you. For it is good to hide the secret of a king: but honourable to reveal and confess the works of God."(Tobit 12:6-7). 두에-랭스 성경(Douay -Rheims Bible) 버전 번역

총 9부 중 제1부는 시, 동화처럼 짧은 이야기, 그리고 일기 같은 비교적 다양한 형식의 글들로 이루어져 있습니다. 그리고 2부에서 8부(8부의 일부)까지는 외국에서 생활할 때 남긴 기록으로, 1부와는 분위기가 사뭇 다를 수 있음을 참고삼아 알려드립니다. 대부분 일상 속의 묵상과 관련된 산문이 주를 이루고 있습니다(중간중간 제목이 없이 붙어 있는 짧은 조각글들도 있습니다).

사랑에 겨운 젊은이는 헛소리도 곧잘 하는 법입니다.

처음부터 다른 누군가를 생각하며 쓴 기록이 아닌 만큼, 솔직하고 날 것 같은 표현들이 있음을 말씀드려야겠습니다. 책으로 펴내며 다듬기는 했지만, 그때만의 목소리를 훼손시키지 않기 위해 부득이하게 남겨둔 부분들이 있습니다. 여러 곳이 있으나 한 가지 예를 들면, 우리의 구세주이신 그분을 나의 가장 절친한 친구 대하듯, 동갑내기 친구에게 말을 걸듯 부르는 부분들 같은 것입니다(노파심이지만, 닮지 않으시기를 바랍니다. 저는 높으신 분께 예의 바르게 행하고 말을 높이는 것이 가장 올바른 것이라고 진심으로 생각합니다).

이 책은 성인전이나 교회박사들의 저서 같은 것이 아닌, 그저 한 부족한 영혼의 신앙 시·산문집일 뿐이지만

(시의 비중이 작긴 합니다만^^;), 만에 하나 이 글이 하느님의 뜻 안에서 누군가에게 신적 사랑과 형제적 사랑의 도구로서 읽혀진다면, 그것 역시 저에겐 감사한 일일 것입니다.

 여러 작가님들께 공통적으로 들었던, 인상 깊은 말을 마지막으로 옮겨 적으며 마칩니다.

 '자신을 위해 책을 써라. 하지만 세상 어딘가에는 너와 닮은 사람이 있고, 그들은 도움을 받을 것이다.'

2023년 12월 8일
원죄없이 잉태되신 성모 축일 날
아기 예수님의 성탄을 기다리며
한사랑
一
2024년 1월 19일
머리말 개고完

※ 본 도서는 빛의 책 시리즈(총 3권-『그대 뿌려준 꽃잎을 따라』, 『그 마음을 원해요』, 『모든 것이 당신의 것』)의 통합본입니다. 1권 『그대 뿌려준 꽃잎을 따라』의 머리말을 통합본에 맞게 최종 개고하여 완료하였습니다.

제1부

한 발, 한 발, 첫 발

무제

이 세상에서의 당신의 삶도
고통이었습니까?
하지만 당신께서는 고통마저도
영광으로 돌리셨지요.

세상은 참 놀랍습니다.
매일 아침 새로운 세계가 시작되고
하늘은 푸르며
파아란 바람이 붑니다.

손에 만져질 수 있는 모든 것은
경이를 불러일으키고
우리의 작은 세계에 깨달음을 주는
'가능성'이 하늘을 스쳐갑니다.

모든 것들이 다시 새롭게,
그렇게 나아갑니다.
찰나에서 영원에로.

최초의 기억, 그리움

발걸음을 멈춰 세웠을 때
문득
그리움에
쉴 새 없이 눈물이 흐르는
그런 곳에 가고 싶다.
어릴 적 굴러간
공이 보여준
그 작았던 구멍 속 세계처럼.
그 구멍 속에서
불어오던
서늘했던 바람 내음처럼.

그 건너편
어쩌면 환상이었을
발소리
가슴 속 조그마한
그리움을 떨었던
그 발소리를 듣고 싶다.

　그것이 최초의 기억인지는 모르겠다. 하지만 '최초의 기억'
이라는 단어를 보고 문득 떠오른 장면은 이것이었다.

어릴 적 내가 다니던 유치원 어느 구석의 벽 아래에는 구멍이 하나 있었다. 나는 유치원에 있던 볼풀에서 빠져나간 공을 쫓다 그것을 발견했다. 공은 신기하게도 자기 몸 하나 겨우 빠져나갈 수 있을 정도의 크기였던 그 구멍을 통과해 밖으로 나가버렸고 나는 내 손아귀를 벗어나 버린 공에는 빠르게 흥미를 잃었다. 대신 혼자만 이질적인 그 구멍을 관찰하기 위해 몸을 거북이처럼 숙였다.

바로 그때 나는 구멍 속에서 불어오는 바람과 마주했다. 맑은 쌀쌀함을 머금은 바람. 또는 왠지 눈물이 날 것만 같이 시린 바람.

그때는 그 감정이 무엇인지 알지 못했지만, 그것은, 그래, 그리움이었다.

세상에 산 지 얼마 되지도 않은 어린 여자애가 겨우 바람이 가져온 서늘한 향기 하나에 그리움으로 몸을 떨었다는 것이 지금 생각해봐도 참 묘하지만, 그 감정은 지금까지도 강하고 선명하게 기억 속에 자리하고 있다.

나는 몸을 숙인 채로 그렇게 한참을 가만히 있었던 것 같다. 몸이 커져 버린 앨리스가 통과할 수 없는 문을 앞에 두고 애달아하는 것 같은 모습으로. 구멍 속에서 나는 아무 데

나 드러누운 햇살도 보았던 것 같다. 하랑하랑 피어오르는 대지의 아지랑이, 그 그림자도 보았던 것 같다. 그리고 누군가의 발소리. 마치 내가 태어나기 전부터 그리워하던 누군가의 발소리도 들었던 것 같다.

나는 언제나 무언가를 그리워했다. 그 무엇이 무엇인지 알 수 없었지만, 최초의 기억으로 떠올랐던 저 때의 이야기처럼 나는 아주 어릴 때부터 그리움을 느꼈다. 내가 원래 있던 곳은 이곳이 아니라고, 세상의 저편 어딘가에는 내가 원래 있었던 곳이 있을 거라고, 그곳에서 나는 누군가와 분명 함께 있었던 것이라고 여겼다.

나이를 먹고 더 자라도 그리움은 늘 가슴 한편에 자리하고 있어, 동글동글 연꽃잎 같은 구름들을 볼 때, 손을 뻗으면 구멍이 뚫릴 듯이 푸른 아침을 맞이할 때, 찬연한 초목들의 교향곡을 들을 때면, 또다시 자신의 향기를 뿜어대곤 했다. 그럴 때면 나는 가만히 멈추어 서서 그 향기가 스스로 사그라질 때까지 그것에 젖어있었다.

지금의 나는 더 이상 저 때의 그리움을 느끼지 않는다. 그리움을 '잃은' 것이 아니라 이제 그 그리움으로부터 '졸업'했다. 드디어 그 그리움의 정체가 무엇인지 깨닫게 되었던 것이다.

나는 내가 태어나기 전부터 사랑하던 존재가 있었다는 걸 알았다. 그리고 내가 깨닫지 못하고 있었을 뿐, 나는 늘 그 존재와 함께 있다는 것도 알았다.

나에게는 돌아갈 본향이 있고 이 세상은 잠시 머무르다 가는 곳이라는 것 역시 알게 되었다.

그리움이 지나간 자리에는 사랑이 차올랐다. 내 최초의 기억이었던 그리움을 나는 이따금 추억한다. 그러고서 나는 머리를 들어 하늘을 보며 사랑해 마지않는 본향을, 그곳에 있을 내 기억 속 발소리의 주인공을 찾는다.

안목

내가 무언가에 있어서 최고로 좋은 것을 알고 있다고 하자.

그리고 만일 다른 사람 중 누군가가 그 최고로 좋은 것을 깨닫고 있다는 것을 알게 되면,

그 사람은 적어도 뭘 좀 아는 사람이구나,
깨어있는 사람이구나,
지혜로운 사람이구나-하고

내가 생각하지 않을 수 있을까.

아가페의 기쁨

가장 완전한 사랑을 받고 있다는 건 말로 표현할 수 없을 정
도로 행복한 일이다.

너무나 감사하다. 모두가 이 사랑을 알 수 있다면 얼마나 좋
을까. 알 수만 있다면…

자신이 어떤 존재이든지 상관 없이 자신을 온전히 사랑해 주
는 존재가 있다는 걸.

나의 짧은 말로는 설명할 수 없지만, 조금이라도 느낀 사람이
라면 말을 통하지 않더라도 알 수 있을 텐데.

가르멜 가는 길

요즘 엄마랑 자주 가르멜 수도원에 기도하러 간다.

가르멜 수도원 안, 성당으로 가는 길목에 모여 피어있던 꽃무릇. 실물로는 가르멜에 다니면서 처음 보게 되었다.

보통은 인도나 일본에서 칭하는 저승화, 피안화로 자주 언급된 꽃.

얼마 전까지만 해도 무리 지어서 잔뜩 피어 있었는데, 며칠 지난 후 가니까 순식간에 져버렸다.
그렇게 빨리 흔적도 없이 시들어 버리다니 놀랐다.

저승화라고…. 이 꽃을 보며 우리 죽음 후를 생각하라고 수도원 안에 피어있는 걸까….

이 세상에서의 삶도 이 꽃처럼 순식간에 져버리는 것인지도 모르겠다.

물고기 이야기 - *어느 날 지어낸 이야기*

종종 관리인이 바뀌곤 하는 연못이 있었다.

이전의 관리인들은 각각의 물고기들이 살 수 있는 수질에 맞게 물고기들을 나누고, 잘 길러왔다.

어느 날 새로운 관리인이 왔다.

그는 물고기들이 급수에 따라 지내는 것을 보고 물고기들에게 물었다.

"너희는 왜 한 연못에 지내지 않고 따로 지내니?"

몇몇 물고기들이 대답했다.

"이전의 관리인들께서 우리 각자가 숨 쉬고 살아가기에 가장 적합한 환경에서 살도록 자리를 배분해 준 거예요."

그러자 새로운 관리인이 말했다.

"서로 갈라져서 사는 것은 옳지 않아. 너희들은 한 곳에서 함께 사랑하며 살아갈 수도 있을 거야. 내가 그렇게 만들어

줄게. 너희는 그것이 옳다고 생각하지 않니?"

수질이 낮은 곳에 있던 물고기 무리가 듣기에 그것은 타당해 보였다. 그래서 외쳤다.

"당신 말이 맞아요. 우리들은 같이 살 수도 있을 거예요."

곧 관리인은 1급수의 연못에 한 단계씩 낮은 급수의 물을 차례로 섞기 시작했다. 그러자 낮은 급수에 살던 물고기들이 점차 1급수 연못에 섞여 들어오기 시작했다.

그렇게 그 연못은 가장 탁한 연못과 다를 바 없이 되었고, 탁한 연못에서 온 물고기를 제외한 나머지 모든 물고기는 그곳에서 사이좋게 헤엄치다 다 같이 죽었다.

안락의 불쾌함

당연히 고통 받는 건 싫다.
괴로운 게 좋을 리 없다.

그런데 이따금..
안락함이 못 견디게 싫을 때가 있다.
편안함이 너무 불편한…
그런 때가 있다.

성탄 피정

2박 3일로 해서 성탄 때까지 수도원에 성탄 피정을 갔다 왔다.

총고해도 할 수 있었고… 나로서는 조금 신기한 일도 있었다. 그래서 그날 내게서 무언가 바뀌었다는 걸 알게 되었는데, 정확히 뭐가 바뀐 것인지는 아직 알아내지 못했다^^:.

앞으로 어떻게 살아갈 것인가
더 생각하고 결심하게 된 부분이 있다.

나는 부족하지만
부족해서 다행이다.

주님 어깨에 기대어 있을 수 있어서,

무언가 이루면 그건 주님 때문이란 걸 알아서,

정말 다행이다.

오만

어째서 이따금 어떤 사람들은
자기가 나를 바꿔놓을 수 있다고 생각하는지 모르겠다.

나의 하느님!

오로지 하느님만 생각하며 살고 싶다.
오로지 주님 안에서 모든 일을 하고 싶다.
오로지 주님의 길 안에서만 삶을 살고
오로지 주님의 마음에 드는 일만 하고 싶다.
주님 안에서 나는 그냥 사랑이었으면 한다.

제발 성녀 필로메나와 성 요셉과 티 없으신 마리아 님의 도움을 통해 제발 나라는 존재에 어떤 티끌 없이 오로지, 깨끗하고 순결하고 정결한 영혼 하나가 있기를 바란다.

제발 내가 가는 길이 어떠한 길인지, 주님의 길이 아닌 다른 길을 디디려 하는 것은 아닌지, 내가 분명히 분별하고 알 수 있는 눈이 있었으면 한다.

주님께서 나를 이끄시고 부디 내가 빗나가지 않게 해주시기를 애원한다.

호수

눈 부신 태양 빛을 받아 찬란히 부서지는 맑은 호수와도 같
이,
내가 당신의 자비심과 인자하심과 사랑이심을 비추어 드리는
맑은 물처럼 되어서,
주님이 나를 자꾸자꾸 들여다보시고 흐뭇해하시고 만족해하
시는

그런 맑은 호수 같은 영혼이 되고 싶다.

주님은 당신이 가지신 모든 것에, 당신의 사랑에 기뻐하실 자
격이 있으신 분이니까

그분을 비추어 드리는 맑은 호숫물이 되고 싶다.

하느님 아버지가 들여다보시고
아기 예수님이 물장구치시고
성령께서 차분히 내려앉아 쉬고 가시는

영원히 맑을 호수가 되고 싶다.

나의 길. 어리광쟁이. 천진한 아이

나는 정말 하느님 앞에 어리광쟁이다.

그러나 사실 나는 죽을 때까지 어리광 부리고 싶다. 하느님 앞에서 성숙한 척하고 싶지도 않고 그런 사람도 아니고 또 그럴 양이면 내 몸이 너무 오그라드는 기분이 든다.

나는 어리광쟁이다. 그리고 죽을 때까지 어리광 부리고 싶다.

주님이 때론 나보고 쯧쯧 혀를 차도 좋다고 헤헤거리고 그냥 주님 앞에서 가끔 아부도 하고 애교도 부리고 그냥 주님 앞에서 천진하고 맹랑한 꼬마 녀석처럼 그냥 그렇게 어리광 부리면서 살고 싶다.

내 천성이 그러하니까. 내가 어떻게 갑자기 어른이 될 수는 없는 것이다…. 그냥 주님 무릎에서 이쁨받고 싶다.

내가 어떻게 해야 하는지 모르겠다. 천진한 아이도 이런 고민에 봉착할까?

나는 아이이고 싶다. 주님 고통, 고난 다 이해하면서도, 그래도 굳세어서, 믿을 수 없을 만큼 천진함을 잃지 않으면서도 굳세고 명랑해서, 주님이 내 곁에 오면 내가 때로는 차분하게, 때로는 명랑하게, 때로는 아무 말 없이 옆구리를 안아주고, 같이 눈물도 흘릴 수 있는 그런 존재가 되고 싶다.

 고통받기 싫어서 천진하고 싶은 것이 아니다.
 그냥 나는 선하지 않은 것에 대해 너무 많은 것을 알아 버리고 싶지 않고 모르는 채로, 영원히 알 필요 없는 채로, 그냥 아름다운 분의 얼굴만 보고 아름다운 분의 손만 만지작거리고 그분의 목소리로 노래 삼고, 영원히 눈처럼 그렇게 하얗게 그렇게 살고 싶다.

 내가 지금 그렇지 않더라도 그렇게 해주실 수 있는 전능하신 아버지가 계시니까 그렇게 되고 싶다.

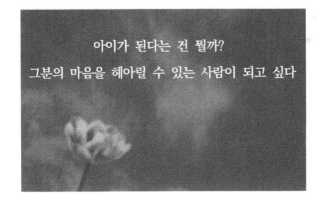

아이가 된다는 건 뭘까?
그분의 마음을 헤아릴 수 있는 사람이 되고 싶다

다짐

이 세상이 끝나는 그 순간까지도
나는 하느님의 끝없이 인자하신 아버지의 모습만을 보아 드
릴 거야.

주님이 당신 자녀들이 보기를 바라지 않으시는 그 분의 모습
앞에서 나는 행복한 소경이 되어 드려야지.

그렇게 생각하면 나는 정말 갈 길이 멀구나.
하지만 그래도 괜찮아.
사랑하니까.

죽어서도 사랑할 수 있다는 사실이 기쁘다.

물들지 않는 어린아이가 되어 드려야지.
이미 주님에 물들어 버려서
더 이상 변할 수 없는
단단한 사랑의 결정이 되어야지.

고민

난 심하게 낙관적이다. 계속 이래도 되는 걸까?

나 자신에게 너무 풀어져 있는 것은 아닌가?

주님은 내게 무엇을 원하실까….

수없이 많은 천사의 도움에서 내가 무시하고 따르지 않은 것들이 많이 있을까.

내가 수호천사를 보고 천사들을 보고
그들과 대화하고 그들과 사는 세상을 살고 싶다고 언제나 간절히 느끼지만, 그렇게 되지 않는 한 나는 늘 어딘가 따르지 않는 삶을 살지도 모른다.

하느님과 천사님들이 권고하는 것을 보고
명확히 따를 수 있는 삶을 살면 좋을 텐데.
그렇게 살고 싶다.

종종 나 자신이 한 일에 죄책감을 느끼고
내 자신의 한심함에 시무룩해지고는 한다.

그래도 다시 기운 차려야지.
기운 차리자.

사랑의 시련으로 맡기고 다시 일어나자.
모든 것을 초월해서,
내 모든 한심함까지도 초월해서
주님께 손을 뻗고 다가가야지.

모든 것을 넘어서
언제나 주님을 신뢰해 드릴 줄을 알아야지.

메마름

내가 설령 내적으로 메마르고,
아무 사랑도 느낄 수 없고,
아무도 사랑하는 마음이 들지 않고,
기도에 아무런 열정도 느낄 수 없다 해도,

그래도 기도하고,
선하게 대하고,
미소 짓고,
또 기도하기를 멈추지 않는다면
그럼 나는 제대로 가고 있는 것이다.

만약에, 정말 설령 죽을 때까지 그런 상태라 해도
그래도 내가 주님만 바라보고 있을 수 있다면,
지금 나는
주님의 십자가 길을 함께 걷고 있는 것이라고
그렇게 확신할 수 있다면
그러면 되는 것이다.

제2부

낯선 세상에서

청지기의 자리

여기저기에서 나를 부르도록
나를 마음껏 쓰도록 내어 맡기는 것이
사실 언제나 기분 좋을 리는 없다.

그래도 고통스러워하면서도 참는 것을 넘어서,
그 상황에 심지어 웃을 수 있다면, 즐길 수 있다면
주님께 더 영광 드릴 수 있는 것 아닐까.
그리고 그게 작은 데레사가 했던 것이고.

사실 내가 하는 희생이 정말 별것 아니라는 건
예수님이 직접 나에게 알려주셨기 때문에 잘 알고 있다.
힘든 척 내숭 떨어도 소용없다.
내 희생이 참 보잘것없다는 것엔 변함이 없으니까.

내가 해야 할 일은 위대한 희생들이 아니라,
살아가면서 좀 더 애덕을 실천하면서 주님을 기쁘게 해
드릴 수 있는 일들을 하는 것이다.

언제나 기억하지 않으면 안 되는 것이다.
내가 거저 받았다는 것을.
내가 무슨 합당해서 은총 받고 이렇게 좋은 자리를 얻고

좋은 길을 가는 게 아니라, 그분의 선하심 때문에
주님이 그저 나를 선택하셔서 좋은 길을 거저 주셔서
이렇게 되었다는 것을 기억하지 않으면 안 되는 것이다.

Devotion

가장 좋은 걸 받았다는 걸 알고 있다.
작은 길. 어린아이와 같은 영혼의 길. 아기 예수.
거룩한 주님의 얼굴. 성 요셉. 마리아.

정말로 거저 받은 것이다. 아니면 주님께 사랑받는 겸손하고 아름
다운 영혼들이 나 몰래 나를 위해 많은 기도를 바쳤을 것이다.
언제나 감사해야지. 내가 좋은 길을 받았다는 걸 이렇게 확실히
알고 있으니까.

원의

온전히 사랑해 드리고 싶다.
우리의 사랑이 신과 같이 온전할 수 없다면
내 원의라도 온전히 드리고 싶다. 온전한 사랑.
티 없는 사랑. 깨끗한 사랑. 아버지의 마음을 기쁘게 하는 사랑…
사랑.

수호성인의 이름을 생각하며

어쩌면 정말로 내가 다른 사람들보다 훨씬 성모님의 신비를 몰라서 내 세례명이나 견진명을 정하거나 할 때 마리아 님을 내 수호성인으로 택하지 않는 걸지도 모른다. 마리아 님을 세례명으로 택하는 사람들을 보면 뭔가 정말 대단하다는 생각이 든다. 그들은 마리아 님의 부름을 받고, 그분의 특별한 관심을 받고 있는 건 아닐까.

그래도 나는 성모님을 하늘의 여왕님이라고 생각하고 있고, 그분이 다른 성인들과는 차원이 다른 존재라고 생각하며 특별히 공경하는 마음을 가지고 있다. 정말로 성모님의 삶과 정신을 본받고 싶다고 생각한다.

다만 성사를 받을 준비를 하며 이름을 정하는 이 때, 나로서는 마리아이든 첼리나이든 릴리아나이든 마리아 님의 이름을 내 이름으로 삼기보다는, 차라리 당신 정배였던-역시 다른 성인들과는 한 차원 다른- 성 요셉의 이름과 함께 성모 당신께 나아가고 싶다고 바라고 있다. 그러면 성모께서 나를 당신 아드님과 아버지와 성령께로 데려가 주실 테니까.

정말로 사랑한다.
내게 위로를 주는 여인이신 분.
얼굴 표정 그 어느 감정으로도
내게 위로를 주시는 분.

그래요, 당신은 하느님도 위로하는 분이시니까.

우리에게 위로를 주시는 가장 아름다운 여인이여.

내가 만일 가장 아름다운 이에게 황금 사과를 바쳐야 하는 파리스였다면, 두말할 필요도 없이 성모님께 그 영광을 바쳤을 것이다.

그러나 성모님을 그런 것 따위를 바라시는 게 아니라 겸손에서 솟아 나오는 하느님께로의 영광과 우리의 성화와 사랑을 원하시니까, 나는 나의 삶과 정신과 육신과 영혼을 황금 사과로, 아니, 황금 금관으로 바꾸어서 성모님께 씌워드리자.

그러면 성모님은 영광 받으시고 아버지 역시 성모님을 통하여 영광 받으실 것이다.

민들레꽃 씨앗

하느님의 숨결 따라 불려가는 민들레꽃 씨앗 같은 영혼이면 좋겠다.

성인들의 침묵

St. Gerard Magellan.

'He remained silent.'

침묵을 지킨다는 것은 뭘까.
어째서 성인들은 결백한 상황에서도 침묵하는 걸까.

알고 있다. 이건 그들이 겸손하고 그리스도의 모범을 따르며
하느님의 뜻만을 의지했기 때문이라고.

하지만 때로 나는 성 요셉이 마리아 님께 했던 것과 같은 말을
하지 않을 수 없는 것이다.

"당신은 어째서 그리도 겸손해서, 그 겸손으로 나를(그들을) 고통
스럽게 하였소?"하고.[2]

---

[2] 마리아 발또르따, 『하느님이시요 사람이신 그리스도의 시』 제1권, 크
리스챤 출판사, 「42. 나자렛의 마리아가 요셉에게 해명한다」 내용 중.

성모님께서 성령으로 구세주 예수를 잉태하신 것을 천사를 통해 알게 된
후 성 요셉이 한 말이다. 정확히는 "오! 그래요. 얼마나 괴로웠는지 모르
오! 정말 괴로웠소! ...마리아, 왜 당신 남편인 내게 당신 영광을 숨겨서
당신을 의심하게 할 정도로 겸손하였소?"이다.

오해를 하는 사람들, 오해하고 싶지 않은데도 그들의 침묵으로 인해 고통받는 사람들은 무슨 잘못인가? 제라드의 부모님들도 자기 아들을 겨냥한 그 모략으로 인해 고통 받았다. 성모님의 침묵으로 성 요셉 역시 극심한 고통을 받았다.

그러나 성인들의 삶이, 거룩한 어머니 마리아의 삶이, 거룩한 주님의 삶이 우리에게 매우 단호한 한 가지 사실을 알려준다.

우리는 '자기 영혼의 성화와, 자신과 하느님과의 관계와, 자신에 대한 하느님의 성의Divine Will와 사랑만'을 진정 가장 우선적으로 생각해야 한다고.

참 하느님을 공경하는 것만을 원해서 의덕으로 자라시오.
하느님께 대해서는 다른 어떤 피조물에도 주어서는 안 되는
절대적인 사랑을 가져야 합니다.
내가 여러분에게 본보기를 주는 이 완전한 의덕으로 오시오.
자기 자신의 안락이라는 이기주의와 원수와 죽음에 대한 공포를 발로 짓밟는 의덕, 하느님의 뜻을 행하기 위하여 모든 것을 짓밟는 의덕으로.

-그리스도의 시 중 예수님의 말씀[3]

---

3) 마리아 발또르따, 『하느님이시요 사람이신 그리스도의 시』 제8권, 크리스챤 출판사, 「33. 의인이 권고에 붙여주는 가치」의 내용 중.

신적 사랑을 이해하지 못하는 이들에겐 잔인하게 들리겠지만, 하느님의 뜻 안에 있을 때는 다른 사람이 그것으로 인해 (멋대로 오해하여 스스로) 짊어질 고통을 고려하여 일을 그르쳐선 안 된다.

왜냐하면 그 침묵은 그 행동은 진정한 사랑에서 나온 행동이고, 겸손의 행동이며, 하느님의 뜻에 영광 드리는 것이기 때문에.

그리고 다른 이들은 그 어떤 상황에서도 실은 오해하지 말아야 할 의무가 있고—*왜냐하면 그건 결국 누군가를 판단하고 어쩌면 단죄하는 것이니까*—, 그들이 자신의 판단으로 인해 느끼는 고통은 어쩔 수 없는 일이며, 만일 성 요셉과 성 알퐁소처럼 그의 결백을 믿어주면서도 확언받지 못해 얻는 고통은 하느님의 뜻에 따라 그들 개인 영혼의 성화와 다른 좋은 영적인 일에 쓰임 받을 수 있을 것이다. 하느님 뜻 안의 고통들은 결국 다 저들에게 좋은 것이다. 억울하다고 여길 종류의 것이 아닌 것이다.

성경에서 성 바오로의 서간을 보면 인상 깊은 구절이 있다.
"하느님께서 그대들에게 바라시는 것은 그대들 개인의 성화"라는 말씀(1th 4:3).

이기심과 자비.
이기심과 겸손의 경계란
진실로 티 없는 사랑만이 결정할 수 있다.

티 없고 완전한 사랑만이 알고 있는 것이다….

우리가 다른 이들이 받을 심적 육적 고통을 생각했어야 했다면
성녀 필로메나는 부모님으로부터 황제와 혼인하라는 부탁을 받았
을 때 자신이 예수님께 봉헌했던 순결을 포기헸어야 했다. 그래야
자기 영주민들을, 자기 부모님을, 적의 침략과 황제의 분노로부터
구해줄 수 있었을 테니까.

그러나 그녀는 무슨 말을 했나?

"제가 예수님께 봉헌한 순결이 그 무엇보다도 우선입니다.
부모님보다도 우리 조국보다도, 저의 왕국은 하늘나라입니다!"

하느님은 절대적으로 찬미 받으셔야 한다.
그분은 모든 일에서 절대적으로 우선시되어야 하고, 모든 것 위에
서 영광을 받으셔야 한다.

그분은 창조주이며 우리는 피조물이다.
그분은 우리에게 무엇이든 마음대로 하셔도 좋으며 그것은 언제
나 옳을 것이다.

그러나 우리는 그분이 우리를 어떻게 대하신다 해도 걱정할 것이
아무것도 없다. 왜냐하면 그분은 '사랑하는 아버지'이시기 때문이다.

그분은 사랑의 하느님이시다. 우리는 그것을 받아들여야 한다.
그것이 사실이니까. 그것이 진리니까.

하느님께 있어서만큼은 우리는 전적인 신뢰를 가져야 한다.
주님께 있어서만큼은 티 없이 맹목적인 사랑을 드리는 것이 우리
에게 가장 의로운 것이다.

나는 내가 다른 인간적인 사랑을 완전히 버리고, 하느님을 향한
티 없는 사랑을 하고, 그분의 성의를 온전히 따르고 있다고는 아직
생각하지 않지만, 앞으로 계속 노력해서 그렇게 되고 싶다.

하느님께 더 완전한 사랑을 드리고 싶다.
더 완전한 사랑을, 더 완전한 순종을 행하고 싶다.

반쪽짜리

나도 반쪽짜리 자녀가 되고 싶지는 않다.
아버지가 완전하신 것처럼
나도 완전한 사랑의 자녀가 되고 싶다.

지상의 아름다움

빠질 수가 없었던 축제, 기념 파티에 갔다.
아름다운 모습들, 드레스, 춤과 연극.
열정적인 그곳에서 문득 '죽음에 대한 강렬한 열망'을 느꼈다.

허무주의는 아니다…. 나는 그 축제를 흥미롭게 생각했다.
그러나 내가 얻은 것은 천상에 대한 더욱 강렬한 열망이었다.

매일의 영성체가 내게 빛과 결합되는 길을 알려주고, 하늘을 사랑하는 법을 알려주었다.
유혹을 쉽게 이기는 강인함을 주었고, 주님을 더욱 사랑하길 원하는 원의를 크게 해 주었다.

그때 당시에는 왜 그렇게 죽음에 대한 생각이 열렬해졌는지 나도 정확히 파악하진 못해서 의아했지만, 오늘 데레사의 권고와 추억을 읽고서 이 마음이 어떤 것이었는지를 알게 되었다.

성 소화 데레사가 병상에 있을 때, 예쁜 것을 좋아하는 그녀를 생각해서 아기자기하고 예쁘게 장식된 과자 상자를 어떤 이가 주었는데, 그것을 본 소화 데레사는 심각한 표정으로 이렇게 말했다.

"나는 지상의 아름다움을 보았습니다.

그리고 내 영혼은 천국을 꿈꾸었어요⋯⋯."[4]

아아 지상의 아름다움⋯

나는 그들의 모습이 멋지다는 걸 알고 있었다.

그것이 사람을 흥분시키고 강렬한 기쁨을 느끼게 한다는 걸 알고 있었다.

하지만 그런 걸 원하지 않았다. 강렬한 감정들이 나를 사로잡기를 원하지 않았다.

아무리 반짝이고 화려해도, 아무리 아름다워도,

천국의 아름다움에 비해서는 결국 한낱 그림자인 것이다⋯.

천국의 것들에서 멀어지기를 원하지 않아.

아기 예수님이 계신 구유 곁으로 계속 다가가고 싶다.

걸인처럼 돌아다니신 길손 예수님 곁을 따르고 싶다.

영광은 하늘에서만 받고 싶다.

영광 속에서 겸손하게 있기란 얼마나 어려울 것인가.

성왕 루이 9세처럼 성 페르디난도 3세 왕[5]처럼, 어린 구주 왕을 뵈온 동방의 현명한 왕들을 닮기에 나는 너무도 교만하지 않은가?

---

4) 성면의 즈느비에브 수녀, 『권고와 추억』, 대전 가르멜 수녀원 옮김, 가톨릭 출판사, p237
5) 성 루이 9세(St, Louis IX, 축일 8월 25일)는 프랑스 카페왕조의 왕이며, 성 페르디난도 3세(St. Ferdinand III, 축일 5월 30일, 프란치스코회 제3 회원)는 카스티야의 왕이다. 모두 가톨릭 성인으로 그리스도 왕국을 위해 싸웠으며 영광스러운 지위에서도 청빈하고 겸손하였다.

그러니 나는 이대로, 눈에 띄지 않는 채로 있는 편이 좋지 않을까?….

아버지. 그저 제게 주님의 뜻을 이루어 주세요.

하늘에서와 같이, 저에게도 이루어지리이다.

언제든 다시 시작하는 것을 걱정하지 않음

스케줄이 끝난 오후 8시 30분경, 성당에서 여느 때와 같이 성체 조배를 하고 있었는데, 바람이 바다에서나 부는 강풍인 양 끊임없이 휘몰아쳤다. 성당 창문과 문들이 울리면서 거대한 소음을 만들어 대는데, 하늘이 진동하는 것 같았다. 그 우르릉거리는 소리에서 하느님의 위엄을 느꼈다.

그 속에서 나는 이런저런 생각을 하면서 주님께 말씀을 드리고 있었는데, 나는 '지금 내가 하는 말들과 생각들이 사실은 다 교만에서 나온 것들이면 어쩌나?'하고 생각했다. 그러다가 금세 자기중심적이고 무익한 생각은 지우고, "어쩌긴 뭘 어째, 그럼 그때부터 다시 시작하는 거지 뭐."하고 나 자신에게 말했다. 그런데 그 순간 줄곧 진동하던 강풍이 갑자기 멎었다. 완전한 정적. 그것은 아주 작은 소리도 나지 않는 완벽한 정적이었는데, 너무 갑작스러워서 나는 무슨 일인가 싶어 가만히 귀 기울이며 주변을 둘러보았다. 그런데 정말 기이할 정도로 고요한 정적이 지속되었다.

나는 이 신비한 일을 하나의 표징이라고 느꼈다.
언제고 걱정하지 않으면서 다시 시작하고 다시 나아가면 된다는 신뢰 어린 다짐에 대한 주님의 긍정, 기쁨의 표현이라고.

그래, 언제는 내가 완전하고 다 이해하고 다 알아서 주님을 사랑

했나? 아니잖아. 그러니까 내 안에 무엇이 있고 무엇이 일어나든 걱정할 필요가 없는 것이다.

주님께 지금 이 순간마다 가장 좋은 것을 드리고 싶지만, 내가 부족해서 그럴 수 없었고, 또 그것을 나중에 깨닫는다 해도
그냥 깨달았다면 깨닫게 해 주신 그것에 감사하면서, 고치고 다시 나아가고 다시 시작하면 되는 것이다.

시간은 넉넉하다.
하늘에선 언제나 이 순간이 영원이니까.
가난한 내 영혼도 언제고 주님 안에서 부자가 되기에는 넉넉해.
주님의 마음에 내가 언제나 신뢰하며 들어가 있다면,
주님은 나를 한순간에 부자로 만드시기에 넉넉하시다.

급행열차

나는 지금 급행열차를 타고 있다고 느낀다….
전혀 준비가 되지도 않았는데
꼬질하고 후줄근한 모습 그대로
이 기차에 탔다는 걸 알게 된 것이다.

이 기차는 목적지까지 정차하지 않고 달리는 급행열차여서,
나는 이제 내릴 수도, 되돌아갈 수도 없다.

예수님은 이 기차의 차장이신데, 우리의 종착역은 하늘에 계신 아버지의 품속이다.

언제 도착할지 나는 알지 못한다.

다만 하루도 천년 같고 천년도 하루 같은 주님의 시간 속에서,

이는 얼마 걸리지 않을 것이다.

무용지인無用之人

주님, 이 세상에서 점점 더 무언가를 할 원의를 잃어가요.
제 원의의 한 편에서는 무언가 훌륭한 것을 만들어 내기를 원하는 것을 알고 있어요.

그러나 주님, 당신이 제게 주셨던 영감처럼,
그것은 하늘로서는 언제나 아무것도 아닐 거예요….

예수님, 당신의 생애는…
당신의 말씀까지도 사도들이 대신 기록했지요.

당신의 사랑은 십자가 조각과 십자가의 길에 묻어 있고,
베로니카의 베일과 성해포에 찍혀 있습니다….

당신은 말씀하시는 말씀, 행하시는 말씀이셨고, 당신이 이 세상에 남기고 가신 것은 당신의 수난과 구원, 그리고 거룩한 사랑 외에는 아무것도 없었습니다….

성모님 역시 그 몸까지 들어 올려지셨지요.
이 지상에서는 그분의 거룩한 육신이 자리할 곳이 없었나이다….
제 사랑도 하느님께만 올라가길 바랍니다….

아버지, 아버지…!
저는 너무도 사랑을 원합니다.

훌륭한 것들을 남길 수 있게 된다 하더라도, 실은 그저 이곳을 뒤로하고 그냥 당신 곁에 가고 싶나이다.
남긴 어떤 것 때문이 아니라,
살아있는 이 시간에 흘리는 눈물과 생각과 존재로 나의 사랑을 채우는 것으로 만족하기 위해서….
그러면 눈물은 언젠가 사라지고 내 삶의 시간들에 새겨진 사랑만이 남겠지요. 그것으로 완벽합니다….

티끌 없는 사랑을 위해서.
더 이상 멋있어지기를 원치 않을 만큼
거지꼴로 점점 무능해지는 가련한 어린 영혼…

딱히 다른 이들의 모범이 되고 싶지도 않고
그저 당신하고만 바라보고 사랑을 하다가
그저 당신만 사랑하다가 보잘것없이 떠나가는 영혼으로…

아버지, 세상에서의 이름이 다 무엇인가요?
아버지, 나는 어떻게 하면 좋을까요?
당신은 제게 무엇을 원하시나요?
당신의 뜻을 저도 원하나이다….

하느님의 종에게

네가 모든 것에서 다른 이들보다 더 낫다고 결코 착각하지 말 것
이며,
네가 하는 의무는 언제나 마땅히 해야 했던 일로 알 것이며,
너는 종이므로, 희생하는 것은 당연하고
때로는 오해받고 비난받아도 종이므로 그것 역시 당연한 것으로
알 것이며,

그저 주님은 너의 모든 것을 아신다는 그 사실로서
모든 용기와 위로를 충분히 얻을 것이며,

그러나 언제나 모든 사건들 위에 자리해서
슬기로운 눈으로 사물을 내려다보며
선한 지향과 티끌 없는 사랑으로 존재할 것이다.

어느 괴로운 날

「특별히 괴로울 때에는 기사(技師)이신 하느님께서 당신의 영혼을 더욱 곱게 하시기 위하여 가위를 사용하시는 줄로 생각하고 하느님 손 밑에서 안온하게 있어야 합니다.」

-삼위일체의 성녀 엘리사벳

주님께서 내 영혼을 거룩하게 하기 위하여 가위를 사용하고 계신다….

침묵

내가 현명하고 지혜로운 판단을 할 수 없고, 그런 행동을 할 수 없을 때는, 언제나 침묵을 선택할 거야.

가장 거룩하고 복된 소식까지도 자기 뜻대로 알리지 않고, 주님이 당신 뜻대로 직접 알리고 행하시길 기다리신 성모님처럼.

성모님을 닮자.

사람의 판단, 그리고 겸손

전통적인 종교는 기본적으로 거룩한 틀을 가지고 있기 때문에 그 경계 안에서 살아가는 이들이 좋은 태도를 배우고 익히는 데 유익하다.

그런데도 가장 중요한 것은 사랑이다. 틀과 환경은 참으로 한 사람을 다듬는 데 유익하지만, 틀이 아무리 거룩해도 영혼은 자신이 하느님께 티 없는 사랑을 드릴 수 있도록 꾸준히 노력해야 한다.

때로 어떤 이들에게는 그 틀 자체가 하나의 기초가 된다.
다른 이의 영성을 판단하는 판단의 기초가.

훌륭한 틀과 환경을 가진 것은 물론 자부심을 느낄 만한 은총이긴 하지만, 때로는 그것이 지나쳐서, 이것을 가졌단 이유만으로 그들 자신을 더 나은 사람으로 여기게 만드는 척도로 생각한다는 것을 느낀다.

…사람들의 판단이란 너무도 견고하지 못한 것이다. 흠 많은 판단들에 죽은 후에야 얼마나 어리석었는지를 알게 되는 것이다.

불완전한 인간에게 있어 겸손이란 얼마나 쉽지 않은가.

그러나 겸손. 얼마나 중요한가….

젬마 갈가니 성녀의 책을 읽었을 때, 무슨 덕이 가장 중요하냐는 다른 사람의 물음에 그녀는 탄식하며 겸손이 가장 중요한 덕이라고 대답했다.

내가 설령 티끌 없는 사랑을 하느님께 드렸다 하더라도 주님의 선물을 거저 받는 것을 당연하게 생각하고 싶지 않다.

아무것도 당연한 것은 없다. 겸손하고 싶다.
아, 나는 실은 겸손이 무엇인지 전혀 모르는 걸지도 몰라.

그래도 주님이 무언가를 주실 때, 한 끝도 당연하다고 여기지 않음으로써 주님께 순수하고 온전한 감사와 찬미를 드리고 싶다.

견진성사 준비

나는 지금 견진 성사 때 오실 성령님을 위해
희생의 선물을 모으고 있어요.

아버지를 사랑하는 자녀

사랑은 도대체 어디까지 관대한 것인가.
사랑의 관대함은 한계를 모른다.

오, 아버지!
아버지에 대한 그릇되고 애석한 꺼풀들을 벗겨갈 것이다.

아버지, 우리 섬세하고 다정하고 지극히 애정 깊은 우리 아버지.

완벽을 추구하는 게 아니라는 거 명심해.
갑자기 무슨 대단하고 완전한 성인이 되려고 이러고 있는 게 아니라는 거 명심해.

'성인이 되기 위해서'가 아니라,
'사랑을 하는 자녀'가 되기 위해서야.

나는 아버지를 즐겁게 해 드리는 것이 목적이므로
내가 보잘것없는 것은 전혀 문제가 되지 않아.
오히려 아버지를 기쁘게 해 드리기에는 더욱 좋은 것이다.
그만큼 신뢰를 보여드릴 수 있으니까.

그러니 명심해.

덕이 없고 나약하고 부족하기 짝이 없다고 해도

계속해서 힘닿는 데까지 노력하면서

전능한 아버지를 신뢰하는 그 이유 때문에 언제까지고 실망하지 않고 기대하고 희망하고 기뻐할 수 있다면

나는 그 어떤 덕을 실천하는 의인보다도 더 아버지를 기쁘게 해드릴 수 있을 거야.

백인대장을 본받자.

"주여, 제가 당신을 모시기에 합당치 않기 짝이 없으나, 저는 알고 있나이다. 주여, 당신께서 한 말씀만 하시면 제가 나으리이다."

나약함에의 슬픔

내가 게으른 걸까.

이 나약함은 선천적 수준이라 나도 거의 뭘 할 수가 없을 정도인데.

나는 아빌라의 데레사 성녀가 말한 거룩한 대담성 같은 좋은 덕을 행동에 있어서는 하나도 가지지 못한 걸까.

아아, 나는…

…그러나 '나'를 그만 바라보기 위해서
서둘러 주님을 찾아야겠다.

이런 자잘한 내 결점 하나하나 따지면 나는 또 완벽과 나를 비교하면서 절망에 빠져 버릴 거야.

그러면서 심지어는 완벽을 질투하겠지.

그러니 됐어. 이제 그만 됐어.
나에게 빠져서 허우적대는 것은 이것으로 족해.
부족함을 받아들여.

쿠페르티노의 성 요셉을 본받자.
남에게 모범적 덕행 따위 거의 할 줄 모르고 할 수 없을 때라도
언제나 웃고 겸손하고 사랑할 줄을 알자.

잘난 덕행을 위해서가 아니라
겸손을 위해서 노력하고 연습하자.

언제나 죄인일 뿐이오니

주여, 저는 언제나 죄인일 뿐이오니,
부디 저에게 자비를 베푸시고
저를 불쌍히 여겨 주십시오….

힘을 주세요

주님. 제게 주어진 일을 잘 해낼 수 있게 해 주십시오.
주님, 당신께 청합니다. 일을 잘 해낼 수 있게 해 주세요.
제 영광을 위해서가 아니라, 저와 함께하는 저 사람들을 위해서
청합니다. 저를 위해서가 아니라 다른 이들을 위해서 청합니다.

주님, 저를 도와주십시오.

주님께서 아시다시피 저는 죄인입니다.

저를 불쌍히 여겨 주십시오. 다른 이들에게 해를 끼치지 않게 해 주세요. 사랑합니다, 주님. 주님의 뜻을 신뢰하며, 제 모든 원의를 성모님을 통해서 주님께 바치나이다.

정신이 딴 데 간 아이

일할 때도 자주 성모님, 예수님, 그리고 천사들을 생각하는데, 그게 더 나를 딴생각에 정신이 산만한 애로 만드는 것 같다.

어떻게 이것저것 분주한 일을 완벽하게 하면서도 하느님을 머리로 묵상할 수 있을까?

나는 자주 정신이 딴 데 가 있는 애 같다는 소릴 들었는데.

나는 그냥 일할 땐 아버지를 생각하지 않는 게 좋은 걸까?
그냥 생각이 절로 주님께 갈 때도 있는데.

그렇지만 주님 생각한다면서 일을 제대로 해내지 못한다는 건 정말 이상하잖아. 뭘까 이건.

하느님 생각을 안 하는 대신에 일에 집중해서 잘 해내면 그것도 하느님 영광 드리는 거 아닌가.

언제고 제대로 집중해서 무언가를 하기가 힘들었던 것 같다.

대회를 나가면 상도 탔고, 아름답고 감탄할 만한 시나 소설도 써
냈고, 작품도 만들어 냈고, 학교에선 과제나 성적도 훌륭히 해냈고
하는데도 이상하다. 무언가에 내 모든 열정을 쏟는다는 것이 참으
로 힘들었다. 쏟으면 쉽게 지치고 진盡하였다.

이건 내 본성의 거부와 게으름 때문에 내가 쉽게 지침으로 해서
스스로 그만두기를 원해서, 인 걸까.
아니면 너무 집중해서 주변 돌아가는 상황도 몰랐거나. 그런 때도
있긴 했는데.
그림을 그리거나 노래를 하거나, 단순한 일(자수나 재봉 같은 것)
을 할 땐 정말 그것밖에 안 보이는 듯이 하는데.

이건 내 마음을 이끄는 일에만 완전히 홀린 듯이 되어버리는 내
천성 탓일까.

나는 편식쟁이인 걸까.

내 자신의 본성이 하도 영악하고 복잡해서 나 역시 잘 모르겠다.

거룩한 공동체 일원들에게 봉사하던 때

안주하지 말고 부지런히 일하자.
부지런히 행하고, 마땅히 해야 하는 만큼 열심히 일하고,
권고를 받으면 거룩한 척하면서 내가 피해자인 양 굴지 말고
적어두고 그대로 행하도록 해.

할 수 있잖아.
예전에 일할 때도 잘 결심하고 실행했었잖아.
할 수 있어.
노력으로 해야 하는 일들은 하자.
그분들을 내 이기심과 내 나태함과 태만 때문에 괴롭게 해 드리
지 말자.
그분들은 나의 성모님들이고, 나의 예수님들이고, 나의 성 요셉들
이니까, 건방지고 무례하게 대하지 말자.

할 수 있는 만큼 온 힘을 다해서
섬기자.

승리의 성모님Our Lady of Victories

성모께 의탁하면 그 어떤 죄인이라도 결코 마귀에게 빼앗기지 않으리라는 것을 깨달았다.

하느님은 당신의 가장 완전하고 거룩한 피조물이자 마귀와 대항하여 승리를 거둘 '여인'으로서 마리아를 세우셨으니, 그녀에게 의탁 되는 영혼을 마귀가 탈취해 가도록 결코 허락하시지 않을 것이다.

만일 그렇게 된다면 그것은 하느님의 뜻에 어긋나는 것이 되는데, 하느님의 뜻 안에서 티 없이 완전하신 마리아께 속한 것에 패배의 기록이란 있을 수 없는 것이다.

제3부

한 걸음 더

소화 데레사의 자서전

처음 읽을 때부터 너무 감동하여 계속 감격의 눈물을 흘렸다.

왜 예수님께서 그녀가 나를 찾아와 이끌도록 하셨는지 알 수 있었다.

그녀가 말하는 길이 바로 내 깊은 영혼 속에서 이미 감지하고 있었고 또 찾아 헤매던 길이었으니까.

그녀처럼 괴로움과 십자가를 이겨내는 너무나도 간단하고 쉬운 방법을 알려준 성인은 내게는 달리 없었다. 다른 것들을 읽어 봐도 내겐 마음의 부담과 짐만 되었다.

속은 뭔가 부족하고 비어 있는데 겉은 단단한 호두알처럼 무장해야 할 것만 같은, 사랑이 뭔지도 모르겠는데 거대한 희생부터 해야 할 것만 같은 기분이었다.

나는 그런 걸 바라는 게 아닌데. 그게 아닌데. 그러면서 계속 더 힘들고 본받기도 힘들었다.

그러나 데레사는 내 깊은 영혼 속에서 어렴풋하게 느끼고 있던 그 티 없는 사랑, 진정한 사랑이 무엇인지 비로소 표면으로 드러내 주었다.

마귀의 유혹이 극심해 고통받았던 그 시기,

'자녀에게 무작정 고통 주는 하느님 아버지'에 대한 생각이 스쳤을 때 폭발하듯 울음을 터뜨리고는 서럽게 엉엉 울던 그날의 내 감정….

명확한 이유도 모르고 속상했던 그 감정이 무엇인지 깨닫게 해 주었다.

난 아버지를 그렇게 생각하고 싶지 않았다.

'아버지는 그런 분이 아니야… 아버지는 그렇지 않아.

아버지는 날 너무도 사랑하신다고. 난 알고 있어.

아버지는 내가 그토록 괴로워하는 걸

단 한 순간이라도 즐기실 수 있는 분이 결코 아니란 말이야!'

내 귀에다 대고 잔혹한 하느님의 像像을 속삭이는 마귀의 이간질에 나는 이렇게 대답하고 싶었던 것이다.

창조주와 피조물 사이의 사랑의 관계.

그리스도를 통해 하느님 아버지의 자녀가 된 우리가 하느님께 가져야 하는 사랑의 형태…

어린아이다운 마음, 어린이 같은 사랑과 신뢰로 아버지를 사랑하고 대해 드리는 것. 그것이 얼마나, 아, 얼마나 중요한가!

실제로 인간이 드리는 하느님에 대한 사랑에는 대부분이 너무도 자애심과, 때로는 다른 이에 대한 사심과, 얼마 정도의 허영과, 교만이 섞여 있다고 생각된다…. 그리고 때로는 영웅적인 희생을 훌륭히 해내는 이들에게도 그런 마음이 충분히 있을 수 있다고 본다. 심지어 사도들까지도 한때는 그랬으니까.

그러나 적어도 소화 데레사는, 진정으로 낮고, 가장 겸손하고, 하느님이 우리에게 가장 원하시던 그 진정한 바람 한 가운데를 꿰뚫고 들어가서, 그 성심 한 가운데를 완전히 파고들어서, 아버지를 사랑의 행복한 패배자[6]로까지 만들어 버린 영혼이었다.

그래서 나는 이 '작은 길', 이 '영적 어린이'의 길이라는 훌륭하고 뛰어나고 위대한 길을 데레사를 통해 우리에게 알려주신 주님께 찬미와 감사를 계속 드리지 않을 수 없다.

나는 데레사가 아니니까 주님이 내게 주시는 '나만의 작은 길'을 가게 되겠지만, 이 길의 표본이 되어 주었던 작고도 훌륭한 나의 위대한 수련장 성인님의 영혼에 이미 있는 것보다도 더 큰 영광이 있기를 언제나 희망한다!

---

6) 너무도 사랑스러운 자녀, 너무도 말 잘 듣는 자녀, 너무도 기특한 자녀에게 아버지는 져주시는 분이니까.

작은 꽃과 하느님의 여러 자녀

소화 데레사와 루이사 피카레타.
소화 데레사와 비오 신부.
소화 데레사와 마드레 스페란짜.
소화 데레사와 테레사 노이만.
소화 데레사와 마르셀 반.

그리고 소화 데레사와 나.

나는 저들이 다 자신만의 길을 갔던 것처럼
나의 길을 달리게 되겠지만,

소화 데레사. 당신은 정말 당신의 정배처럼 선견지명이 있으십니
다.
다른 누구도 아닌 당신이 제게 와 주셔서 감사합니다.
심지어 루이사 피카레타의 이야기도, 비오 신부님의 이야기도, 나
를 겸손에 대한 갈망으로 이렇게까지 채운 분은 없었습니다.
아마도 그걸 아셨기 때문에 비오 신부님도 제게 그렇게 대하신
것 같습니다.
마드레 스페란짜의 희망의 신학도 내가 인자하신 아버지를 사랑
하는 데 감미로운 양식이 되었습니다. 다만 그녀가 걸어갔던 길은
제가 앞으로 걸어갈 길과는 다르다는 걸 느끼고 있어요.

내가 어떤 길을 걸어갈지는 모르겠지만, 사랑합니다.

그 길에는 언제나 티 없는 사랑에 대한 갈망과,
진리이신 아버지에 대한 맹목적인 신뢰와,
사라지지 않을 희망이 있을 거예요.

매 순간

매 순간 살아 계신 예수님의 모든 시간들에 따라다니면서 그분을 사랑하고,
아기 예수님의 모습으로 계신 예수님을 매 순간 품에 안아 드리고,
매 순간 돌아가신 후 성시聖屍로 남으신 상처 가득한 예수님을 끌어안고 있고 싶다.

아버지는 무엇이든 하실 수 있으니까 내가 아버지의 모든 시간들에 함께 있고, 안겨 있고, 안고 있을 수 있게 은총 베풀어 주시면 좋겠다.

성 요한 보스코의 말

살레시오회의 창립자인 성 요한 보스코.

한 회원이 그에게 "저는 한 아이를 위해 할 수 있는 모든 노력을 다했습니다"고 말했을 때, 성인이 한 말은 "그 아이를 위해 기도했습니까?"였다.

무언가 부족하다면, 무언가 절망적이라면, 기도가 부족했던 건 아닌지 생각해보자.

인간의 해결법에 희망을 두기 전에, 인간의 능력에 자신하기 전에,

먼저 기도했는지, 충분히 의탁했는지, 하느님의 힘과 뜻에 온전히 믿음을 두었는지 제대로 확인하자.

마음 다듬기

무슨 척하지 말자. 참을 수 있을 만큼 참자.
말하지 말자. 거룩한 '티' 내지 말자.
그냥 모지리로 그냥 설렁설렁한 애도 보여도
적어도 내가 작정하고 대충 사는 게 아니라 노력하고 있는 거면
남이 날 뭐라고 보든 머리털만큼도 신경 쓰지 말고 그냥 즐기자.

모른다 해도

많은 신비를 알지 못하고 이해하지 못해도
그 무지에서도 터져 나오는 티 없는 사랑을 드리고 싶다.

무지 속에서도 하느님을 사랑하고 싶다.
세상의 모든 혼란을 다 느껴도 주님을 향한 신뢰에는 한 털 흔들림도 없을 것 같다고 느낀다.
이건 다 내 망상인 걸까.

나는 사랑하고 있다.
나는 내가 이렇게 결점이 많아서 차라리 다행이라고 생각한다.
결점이 많아서 하느님을 사랑할 수 없다고 생각하며
하느님께 사랑을 드리기를 주저하는 이들에게 좋은 반례가 되어
줄 수 있으니까….
내가 죄인인 건 하느님께 사랑을 드리지 못할 이유가 될 수 없다
고….

고통받길 원치 않으면서도
고통받기를 원한다.
고통보다도 영혼들을 위한 고운 희생을 하고 싶다. 살고 싶다.

God's Love

수난. 사랑. 수난. 사랑. 슬픔. 사랑. 고통. 평화.

이런 사랑이 있나…. 이런 사랑이….

시간이라는 점點

시간이 어떻게 가는 건지 모르겠네…
빠르고 느리고의 문제가 아니라
시간이 존재하지 않는 것 같은 느낌이다..

시간이라는 게 점 하나로만 존재해서
지금 이 순간에서 멈춘 것 같은 기분이다…

어느 감사한 날

온갖 좋은 것들은 다 내게 몰려오는 것 같아.
아버지가 이것도 주고 저것도 주고 마구마구 퍼주고 계셔.
가장 좋은 것들을 죄다 나에게 주지 않고는
견딜 수가 없으신가 봐.

그리스도의 얼굴

베로니카의 베일에 찍힌 그리스도의 얼굴.

벌어진 입술 사이로 보이는 피 묻은 이빨들.
타격으로 퉁퉁 부어오른 얼굴과 패인 콧등.
여기저기 뜯겨 나간 머리카락과 수염.
찢겨져 흔들리는 이마의 살들과 얼굴 전체를 뒤덮은 채 끊임없이
흘러내리는 피….

수난의 신비를 바라보며 The Mystery of the Sorrow

나는 하느님과 성모님의 고통이 얼마나 클지 느낄 수도 없고 상
상할 수도 없다. 사실 나 따위가 그런 어마한 고통을 이해할 수는
없겠지만 그래도 좀 알고 싶다고는 생각해 왔는데, 그런데 지금까
지 주님은 딱히 내게 당신의 슬픔을 이 몸과 영혼으로 제대로 알아
듣고 체감하도록 하시지는 않는 것 같다….
때가 아닌 걸까, 아니면 정말 알도록 허락하시지 않는 걸까.
그분은 당신 슬픔의 지독한 아름다움만을 내게 보여주셨다.

성모님도, 나는 성모님이 얼마나 슬펐을까 생각하면서 칠고 기도
의 "당신 고통 저희에게 나누어 주소서"를 읊었는데 그때마다 고통

이 아니라 확연한 위로만 받았다.

마치 부모가 힘들고 고통스러운 일들이 있을 때, 자녀들에게 그
일의 힘듦이나 당신 고통을 다 알리고 싶어 하지 않는 것처럼,
자신은 힘들면서도 자식은 위로하는 부모처럼, 아버지는 슬프실
때 내게서 침울한 그 얼굴을 슬쩍 돌리시고는 안 보여주시려는 것
처럼 보인다.

나는 그분이 마음이 상하셨나 어디가 아프신가 얼마나 아프신가
생각하면서 그 얼굴을 계속 바라보고 이리저리 살펴보고 나도 그
슬픔을 좀 알 수 있게 해 달라고 하는데 어느 정도는 '보여'주시면
서도 딱히 다 드러내 보이시진 않는 것 같다.

아직 초심자인 나는 성장이 필요한 애벌레, 성숙이 필요한 어린아
이이기 때문일까… 원래 그릇이 클수록 더 고통 받게 되니까….

고통을 제대로 이해할 수도 없을 만큼 안락하고 평안하게 보살핌
받아온 이 몸뚱아리와 이 정신과 이 영혼으로는 그분의 기분을 알
수가 없어서, 그래도 알고 싶어서

성모님의 눈물방울을 쫓고
십자가의 길에 흩어진 예수님의 핏방울을 쫓고
베로니카의 베일에 찍힌 예수의, 주님의 얼굴을 보았다.

십자가 발치에 서 계신 성모님을 바라보았고
생명이 떠나가신 주님의 성시聖屍를 안고 우는 그 얼굴을 보았다.

눈을 감고 입도 다무신,
고요히 평화 속에 누우신 주님의 얼굴을 보았다.

무엇을 원해야 할지 나는 모르겠다.
아무것도 판단하지 못하는 아이처럼 서 있다.

이 신비를 알려 달라고 말해야 하나?
아니면 모르는 채로도 사랑할 수 있게 해 달라고 말해야 하나?

나는 제대로 알지도 못하면서 눈물 흘리고 있다.
저 모습이 무엇을 의미하는지 명확히 꿰뚫고 있는 것도 아닌데
울고 있다.

내 눈물은 언제나 얼마만큼의 앎과 무지의 꺼풀 아래,
깨닫지도 못했으나, 그러나 깊은 영혼의 본성 안에서 흘러나온다.

성모님의 눈물과는 감히 비교할 수 없다.
나는 참으로 보잘것없는 '인간'인 것이다.

이제는 무엇을 원해야 할지도 모를 만큼 아무것도 알 수 없게 되었다.

그래서 이제는 모든 것을 잃어버린 마음을 가지고
아무런 원도 아무런 잡음도 없이
'아무것도 없는 것' 속에서라도, 우선 아버지께 가야겠다….

기쁨에 대한 묵상: 칠락七樂

프란치스칸 묵주기도. 칠락七樂 기도. 또는 세라핌적 묵주기도…
이제야 조금은 이 기도의 특별함을 알 것 같다.

오늘 성모님의 눈물의 작은 묵주를 보고 나서 갑자기 우울해지기 시작했다. 곧 마음을 다잡고 미동 없이 견뎌내긴 했지만, 그동안 수난만을 바라보고 슬픔과 고통만을 묵상해서 그런 것 같아서, 조금은 눈을 돌릴 필요가 있음을 느꼈다.

그러다가 묵주기도 중에 수태고지受胎告知 장면의 성화를 바라보는데, 갑자기 환희의 신비 1단(Annunciation)과, 성모송의 내용과 의미가 새삼 다시 다가오면서, 칠락 기도를 하고 싶다는 생각이 들었다.

예수마리아의 슬픔에서 눈을 돌리고 싶다면,
예수마리아의 기쁨을 바라보고 함께 즐거워하고 기뻐하면 된다.

그리고 무엇보다도, 나는 견진성사, 즉 내게 오실 성령을 기다리고 있으니까 슬퍼하는 것보다도 성령 강림을 기뻐하는 기도가 어울리는 것 같다.

성령께서 가장 위대한 역사를 이루신 그 수태고지 날의 신비를 묵상하고 성령을 그토록 풍부히 받으신 어머니를 존경하고 묵상하면서 세라핌적인 인사말을 계속 들려드리는 것이다. 그리고 선물을 잔뜩 들고 오실 성령을 기다리는 내게도 풍부한 은총을 빌어주십사 청하면서-.

이제 보니 단 수가 많아서 칠락 묵주에도 사용해야지-하고 생각하고 있던 내 10단 묵주의 십자가는 프란치스코의 다미아노 십자가이다.

살 때는 아무 생각 없었는데 지금 보니 신기하다.

이건 또 꼭 칠락 기도를 위해 준비된 것 같잖아;-D!

요즘 이런저런 기도를 많이 하고 있어서 좀 벅차다고 느끼긴 하지만, 일단 노력해 봐야겠다.

Angelic salutation

천사의 인사말로 화관을 엮는 방법,
묵주기도.

어머니의 기쁨.
성령으로 예수님을 잉태하시던 수태고지, 그날에 들으신 알림과 축하, 경하의 인사말을.

예전부터 하느님은 묵주기도에서 내게 -내가 묵상하길 바라시는- 가장 중요한 신비는 환희의 신비 1단이라고 알려주셨는데,

사실 묵주기도의 성모송Hail Mary, angelic salutation은
언제나 그 역사적인 수태고지의 순간을 재현한다.

다름 아닌 환희의 신비 1단, 성령으로 예수를 잉태하시던 그날을.
예수 강생하여 사람이 되사, 성모의 태중에서부터 우리와 함께 이 세상에 존재하기 시작하시던 그날의 신비를….

아버지께서는 내게 참으로 좋은 것들을 가득 주시기로 아주 작정을 하신 것 같다. 아무렴, 그래서 나는 정말 기쁘다. 참 좋다!

빨래를 걷으며

오늘 빨래를 걷으면서 바라본 하늘은 몹시도 쾌청하고 푸르렀다.

고개를 젖혀 바라본 시선에는 바로 얄팍해진 달이 보였는데, 정말로 달은 성모님 같았다.

태양은 때로 너무 눈 부셔서, 바라보면 눈이 멀 것 같은데. 달은 아무리 봐도 부드럽고 아름다우면서도 무리 없이 볼 수 있다. 그래서 우리는 성모님을 통해서 주님을 바라보나 보다. 참으로 아름다운 분이시다.

아, 파란 하늘의 공간은 너무도 광활해서,
나는 그를 통해 우주를 바라볼 수 있었다.

안녕 우주야, 우리 아버지의 사랑처럼 광활하고 무한하고 끊임없는 우주야!
안녕 하늘아, 우리 아버지의 생명처럼 푸르게 빛나는 하늘아!

기쁨의 눈물방울들은 언제든 나올 준비가 되어 있는 것처럼 통통 튀어나왔다.

아버지는 사랑스럽다.
티 없는 아이 같은 사랑은 행복하다.

●

성모의 티 없이 깨끗하신 성심께 나를 봉헌하자.

제4부

지금 이 순간

성령에의 속삭임

성령이 나의 everlasting best friend가 되어 주었으면 해.
언제까지고 나의 가장 친한 친구가 되어주었으면 해.
나는 결코 어른이 되길 원하지 않고,
영원히 괴짜스럽고 명랑하고 장난기 가득한 어린 꼬맹이이길 바
라.
나의 명랑함과 사차원적인 쾌활함을 잃지 않으며 살아가길 바라.

나의 흰 비둘기야.
많은 성사聖事적 선물을 가득 싸 들고 내게 날아와 줘.
내 안에 둥지를 틀고,
나 자신이 되어 줘.

●

언제나 기뻐하고 언제나 기도하며 모든 일에 감사하자.
행복하고 즐겁고 쾌활하게 살아가자.

하자 없는 성모 성심

…티 없는, 맑은, (하느님의) 사랑받는, 고귀한 심장…

어머니의 성심.

그런 심장을 가질 수 있는 건 구세주의 어머니,
만인의 어머니뿐이야….

견진성사 때는 그냥 성모님의 티 없으신 성심 안에 숨어서
성모 성심의 세포 중의 하나인 척, 일부인 척, 성모님인 척하면서
성령 강림 받아야겠다.
그거면 충분하지 않을까.

만일 성령께서 내 안에 오신 후에
"이런, 마리아인 줄 알았더니 아니었구나!" 하시면
나는 박수치고 웃으면서
"예, 성령님, 당신이 속으셨어요."하고 좋아할 것이다.
그럼 성령님은 "일단 와버렸으니 어쩔 수 없구나. 여기에 자리를
틀어야겠다." 하시고는 내 안에서 사실 것이다.
어차피 다 알면서 들어주시는 하느님이시니, 나도 모른 척 수를
써보는 것이다.
그렇게 강제로 내 친구로 만들어서 영원히 같이 살아야겠다.

성 가브리엘 포센티

…겨우 5년 정도 되는 수도 생활 후 생을 마감한 성 가브리엘 포센티. 성모 통고의 성 가브리엘…. 하지만 역시 하느님의 손안에서 성인이 되기에 충분한 시간이었다.

그는 어떤 분일까?
젊은이, 학생, 그리고 신학생의 수호성인이신 분.

슬픔의 성모의 성 가브리엘이라니, 어쩜 이름도 이렇게 운명적일까. 너무도 이름에 맞갖게 살다 가신 분…….

잘은 모르지만 호감이 간다.
신학생들과 신부님들을 위해 이분한테 기도해 볼까?

인자한 하느님 사랑에의 봉헌

봉헌문을 작성하고 싶은데, 무슨 봉헌인지, 뭐부터 써야 할지 모르겠다.

아까 작은 데레사의 자서전을 볼 때만 해도 생각이 났었는데 까먹었다.

사랑. 사랑.

아버지. 성령께서 오시면

저는 성령을 언제나 제 안에 잡아두고 같이 살 거예요.

성령께서 제 영혼에도 아기 예수를 자라나게 해 주시겠지요?

저는 자주 이런 상상을 해요.

아기 예수. 소년 예수가 거대한 독수리 위에 타고 있는데,

낮게, 아주 천천히 제 앞에서 날아가고 있어요.

그분은 저를 돌아보시면서 말씀하세요.

"죄인아, 나는 너의 모든 죄를 사해 주었고,

네 영혼에 사랑의 씨를 심어 주었다.

그랬더니 너는 지극히 거룩하고 온전한 사랑으로

내게 보답하고픈

티 없이 순수한 원願을 내게 보여주었다.

그래서 나는 너에게 기회를 주겠다.

잡아라.

그러면 이 독수리를 타고

내가 너를 완전한 사랑의 정상으로 데려가 주겠다.”

그러면 모든 것을 용서받고, 위대한 자비와 사랑의 권유를 받은 은혜로운 나는 눈물을 터뜨리면서

전속력으로 그에게 달려가, 소년 예수님의 팔에 나를 던지다시피 달려들어 안기는 거예요.

아버지.

사랑해요.

이게 내 봉헌이에요.

자비로운 당신 사랑에의

당신의 넘치는 자식 사랑

인자하신 하느님 사랑에의 봉헌이에요.

성령을 기다림

성령이여, 어서 오소서.

당신 배우자가 될 제 영혼에

선택적 은총이 아닌 당신의 모든 은총과 함께 성령 그 자체로 진리의 완전한 사랑으로 제게 와 주소서.

티 없이 깨끗하신 성모 성심의 힘 있는 전구를 통하여 어서 오소서.

○○일, 그날이 저의 성령 강림 대축일Pentecost이며

제 Marriage, 저와 성령님의 Matrimony가 될 것입니다.

●

착하다는 게 무엇인지 모르겠다.

상냥하다는 건 하느님의 자녀란 누구나 그런 것인가…

예수와 마리아의 심장

예수님의 심장이라…
이 세상에서 걸어 다니고 옮겨 다니고
그분 얼굴을 통해 보고 느끼고 맛보고 경험한 모든 것들에 대한
사랑의 움직임과 요동이 그 심장에 있었어.

그 어머니의 심장도 역시 걸어 다니고 옮겨 다니고
하느님의 뜻의 심장으로서 승천 날까지 이 세상에서 고동했어.

하느님의 심장과 그분의 티 없는 어머니의 심장이 이 세상에 있
었고
이제는 영적으로 우리에게 선물처럼 주어지고 있어.

예수의 성심

아아, 예수님의 심장은 참 좋은 것 같아.
그건 하느님의 심장이니까.
그분의 심장을 가지게 된다면 그분이 우리를 얼마나 사랑하는지
그 모든 고동과 따뜻한 혈액과 그 생명력을 통해 느낄 수 있겠지.

성모님은 하느님이 아니시지만 예수님은 하느님이시니까,
예수의 심장은 하느님의 하느님으로서의 사랑을 담고 있으니까.
그분의 심장은 우리로 하여금 그분의 사랑을 알게 해…

사랑의 심장이 좋아요. 그 심장을 원해요.
그 심장은 원해도 될 것 같아요.
예수님의 터질 듯이 사랑 가득한 그 심장을 원해요.

무無의 영혼

점점 비어버리는 점점 아무것도 아니게 되는
이 무의 영혼으로 어서 오소서, 주여.
오셔서 이제 이 아무것도 아닌 이 영혼의 모든 것을
주의 사랑으로 채우소서.

다른 이의 덕을 통한 배움

기분이 조금 다운되거나 좀 피로감을 느낀다고 곧바로 겉으로 그게 죄다 티 나는 나보다 다른 이들이 훨씬 더 덕이 많다.

그들은 자신의 피로와 고통을 숨길 줄 알고 다른 이들에겐 밝게 웃어줄 줄 아니까. 나보다 훨씬 나은 사람들이다.

오늘도 얻은 게 많아서 다행이다.

이런 깨달음과 이런 나의 나약함들이, 조금만 틈나도 제멋대로 일어나는 교만을 짓밟아 주는 값진 기억들이 되어 주어서 다행이다.

살아서 잘해드려야지

죽고 나서야 죄송하다고 울기는 죽어도 싫어.
살아서 잘해드리고 살아있을 때부터 티 없이 사랑해 드릴 거야.
그러려고 계속 노력할 거야.

죽어서 다 버리고 떠나야 할 이 세상 몸과 재물들이 다 무슨 소용이라고 하느님을 치우면서까지 그걸 가득히 채우고 부유히 하려고 하나?

죽고 나서야 "아, 주님, 당신의 크신 자비를 몰라뵙고 그 사랑을 몰라 드리고 그 슬픔을 알려고도 하지 않았던 제 삶에 죄송하고, 더 노력해서 기쁘게 해 드리려고 하지 않아서 죄송하고, 희생과 덕행을 최선을 다해 실천하지도 않아서 죄송하고, 더럽고 추잡하게 살아서, 혐오스럽게 해 드려서 죄송합니다" 등등의 말 따위 죽어서는 죽어도 하고 싶지 않아.

살아 있을 때부터 잘해드릴 거야.
이 시간, 신앙으로 살 수 있는 것도 희생하며 살 수 있는 것도
고통을 바칠 수 있는 것도 이 세상에서뿐인, 이 순간, 이 기회,
이 삶, 이 선물.

아아, 사랑이여, 사랑이여! 사랑하나이다, 사랑이여, 사랑합니다!

어떻게 하면 더 당신이 기쁘시겠나이까?

제가 어떻게 하면 더 당신이 기쁘실까요?

사랑이여, 말씀해 보세요. 제게 더 원하시는 건 없으십니까?

사랑이여….

비참한 죄인의 사랑 고백

어쩜 이렇게 애덕도 없고 사랑도 없고 동정심도 없고 연민도 없고 공감할 줄도 모를까.

그래도 하느님을 사랑합니다.

그래, 이렇게 아무 덕도 없는 제가, 이 비참한 제가 주님을 사랑합니다.

이 비참하고 밑바닥인 영혼의, 그럼에도 바치고자 하는 가련한 사랑을 보시고 위로받으십시오, 주님.

때로는 악인들도 할 줄 아는 동정과 위로조차 할 줄 모르는

이 죄인 중의 죄인의 사랑을 보고 위로를 받으소서, 나의 주여!

달이 만든 무지개를 본 날

달도 무지개를 만들 수 있다니 놀랍다.

그래, 정말이지 성모님 같네.

우리 어둠 속의 희망이신 여인이여.

●

달도 참 밝구나.

달은 밤의 태양이야.

구유 위에 누워 계신 성자 아기 예수님

구유 위에 누워 계신 성자 아기 예수님!

최근 ○○○○성당에서 아기 예수님에 대한 기도 촛불이 더 자주 그리고 더 많이 켜지는 것에 대해 몹시 기쁘게 생각하나이다! 많아진 당신의 방문객들을 바라보며 마음이 즐겁습니다.

이것은 어쩐지 제 기도와 바람에 대한 응답 같다는 생각이 듭니다.

처음 이곳에 왔을 때, 칠이 벗겨지고, 때 묻어 방치된 이 아기의 뺨을 손수건으로 닦아주면서, 저는 이곳에서 그토록 놀라운 신비를 품으신 아기 예수님에 대한 신심이 더 활발해지기를 바랐으니까요.

아기 예수님, 오늘은 당신의 성상 앞에 아기 예수님에 대한 생소한 기도 책자 하나가 놓여 있는 걸 보게 되었는데, 그 책자가 참 좋아 보여서 저도 하나 가지고 있으면 좋겠다고 생각했었어요.

요즘은 단순한 기도를 더 좋아하지만, 주님께서도 좋아하시면은 제가 좀 더 잘 묵상하며 기도할 수 있도록 그 책자를 하나 선물해 주시면 좋겠습니다! 감사합니다!

+그 해 성탄, 출처를 알 수 없어 스스로는 구하지 못한 그 기도 책자를 한 자매로부터 선물 받았다. 예수님 찬미!

하느님의 뜻만을

내 생각과 내 원은 언제나 유치할 뿐이니 언제나 하느님의 의지만을 사랑해야지.

나는 아무것도 제대로 판단할 수 없는 불완전 그 자체일 뿐이니 하느님의 뜻과 하느님의 계획만을 신뢰해야지.

내가 사랑한 모두가 나의 것

소화 데레사가 그랬지(정확히는 그녀도 인용한 것이지만).

내가 다른 이들의 덕과 행위, 삶 등을 내 것처럼 사랑하고

심지어 그들보다 더 그것을 기쁘게 여긴다면 그것은 이미 그들의 것이라기보다는 내게 속한 것이라고.

따라서 만일 우리가 어느 성인들의 삶을 내 것처럼 사랑하고 기뻐하며 하느님께 감사하고 찬미드릴 줄 안다면, 그 삶 역시 내 것과 다름없는 것이라고.

그래, 그래서 이제 알겠어요.

내가 구속주회가 될 수는 없어도, 성 제라드 마젤라 오빠의 삶을 내 것처럼 사랑함으로써 나는 구속주회원으로서 성 제라드의 삶도 가지고,

또 내가 예수 고난회에 가입할 수는 없어도, 성 가브리엘 포센티 오빠의 삶을 내 삶처럼 사랑함으로써 나는 예수 고난회로서, 성 가브리엘 오빠의 삶으로도 가지는 거예요.

내 사랑하는 오라버니들의 삶은 다 내 것이니까요!

그리고 내가 소화 데레사의 작은 길을 그토록 사랑한 만큼, 나역시 가르멜의 작고 위대한 성녀로서의 삶도 가지는 것이 되겠지요.

그렇게 나는 내가 사랑하는 성인들의 삶을 모두 내 것으로 삼고, 예수님을 사랑하고 성모님을 사랑하고 성 요셉을 사랑함으로써 나의 구세주와 내 구세주의 티 없는 어머니와 우리 성가정의 거룩한 보호자의 삶 역시 내 것으로 삼겠습니다.

제5부

희망과 신뢰로서

당신 말고는 없는 것처럼

미칠 듯이 원한다…
나는 가난한 영혼이 되기를 원한다…
진정으로 작고 단순하고 겸손한 자가 되기를 원한다…

세상에 아버지와 나 말고는 아무도 없는 것처럼
서로 바라보고 사랑하길 원한다…

하느님 아버지 말고는 세상에 아무도 없는 것처럼
아버지를 사랑하길 원한다….

나 같은 거, 아무것도 상관없으니까
미칠 듯한 신뢰로 터질 듯한 희망으로
하느님만을 사랑하길 원한다….

아버지의 모든 것을 신뢰하고 싶다.
아버지의 길을 알고 싶다.
아버지를 알고 싶다.
아버지. 당신을 제대로 알아드리고 싶어요.
아버지…. 당신을 섭섭하게 하는 생각과 말과 행위 그 무엇도
한 치도 원하지 않아요.

미칠 듯이 사랑합니다… 당신의 모든 것을 신뢰합니다…

당신의 모든 것을 존중합니다, 내 주님… 주님….

제 모든 것을 다 들은 척도 마시고 당신 뜻대로 저를 다루어 주십시오..

당신이 주시는 모든 순간 안에서 하느님의 뜻을 찬미하고 사랑하나이다….

당신을 찬미합니다. 당신을 흠숭합니다.

당신의 뜻을 무한히, 이제와 영원히, 당신 존재만큼 사랑하고 신뢰합니다…. 당신 존재만큼, 당신이 성모님을 사랑하고 당신이 우리를 아끼시고, 예수님이 성모님을 사랑하는 그만큼, 그 사랑으로 당신을 사랑하고 신뢰합니다, 내 주여…

이토록 신뢰하오니

하느님의 귀를 막고 하느님의 눈을 가리고 싶다.
내가 올리는 내 본성의 욕심에서 나온 기도,
온전히 겸손치 못한 내 원의, 다 듣지 못하고 보지 못하시게….

내 원의, 내 생각 따위 전혀 고려치 마시고
당신 생각대로만 나를 다루어 주시라고 말하고 싶다….

내가 이토록이나 하느님의 뜻을 사랑하는데…
이렇게나 하느님의 활동의 모든 방식을 신뢰하는데….

성모여, 저의 모든 것을 받아 주소서.
제 모든 것을 당신의 망토 안에, 당신의 부드러운 품 안에,
당신의 아름다운 얼굴 안에, 당신의 티 없는 심장 안에 던져 넣고
당신 사랑이라는 피신처 속으로 저 자신을 던져넣나이다.
저의 원의는 언제나 당신이 먼저 받으셔서
진실로 제게 필요한 것만을 예수님께 청해 주십시오.

모든 여인 중에,
가장 거룩하고 가장 티 없고 가장 깨끗하고 가장 아름다우신 어머니,

가장 겸손하시고 가장 위대하시며 하느님께 가장 순명할 줄 아시는 어머니,

하느님의 뜻 그 자체로 살으셨으며
하느님의 뜻을 가장 잘 이해하시고 하느님을 사랑하시는 어머니,
우리 각자에 대한 하느님의 뜻도 당신이 가장 잘 아시고
또 이를 고려하여 저희를 가장 안전하고 완벽하게 이끌어 주실 수 있으시니,
현명하신 어머니, 지혜로우신 어머니,
제 모든 것을 받아 주소서.

무아無我의 원

기적도 원하고 싶지 않다.
차라리 아무 맛 없는 삶을 살고 싶다.
그러나 기적이 없는 삶을 원하고 싶지도 않다.
아무것도 내 뜻대로 원하고 싶지 않다.

애덕.
아무 원도 없고 싶다.
사랑이 알고 싶어서, 내 욕심으로 바라는 건
아무것도 없고 싶다.

말씀과 작은 데레사의 가르침을 행하려는 것에서도
그토록 마음에 무수한 싸움을 해나가는 영혼이면서…

그래도 사랑하고 싶다.
마음이 진정으로 가난하고 싶다.
도대체 이 본성이란 건 얼마나 자기만족을 원하는 거지…
얼마나 나를 채워야 하겠어, 얼마나….

아무것도 없어라.
아무것도 없어라.
아무것도 더 바라지 말고 하느님의 눈동자를 바라보자…

사랑… 내 것 따위는 아무것도 없다.
사랑… 내 존재가 하느님의 손아귀 안에서
녹아들고 스며들어 완전히 바스러지기를 바란다….

없어져라, 나라는 존재…
사랑 안에서 사라져 버려라.
아무것도 남기지 말고
교만의 티끌도 남기지 말고
사랑과 겸손, 희망과 빛이 되어서
하느님 속에서 하느님이 되어라…

나라는 건 이 세상에 존재하지 않는 것처럼,
이 몸과 이 얼굴, 이 생각과 이 독특성이, 이 영혼이,
결국은 나라는 존재라 해도,

그래, 나는 존재하지만,
하느님, 말씀, 인간이 되신 하느님이신 예수,
나라는 사람이 없는 것처럼
하느님의 사랑으로 살자.

조각글

●

Fortitude

●

주님이 본격적으로 주무시기 시작하셨군!

●

주님이 주무시고 계시군!

●

주님은 내 영혼을 주무시는 용도로 쓰시나 보다.
참으로 조용하구나.

성인의 믿음과 기적

성 제라드의 삶을 보면 신기하다.
어떻게 그렇게 아무렇지도 않게 기적을 행하는 거지?
하지만 나는 그가 기적을 행할 수 있었다는 사실 때문이 아니라,
그가 기적을 행할 때 보였던 태도와, 그런 태도로 기적을 행할
만큼의 말도 안 되게 크고 단순한 그 신뢰 때문에 놀란다.

기적을 행할 때, 어째서 아무렇지 않게 자기가 하려는 행동에 주
님이 기적을 행하시리라는 것을 알았을까? 오두막에 불이 붙어 그
불을 꺼야 했을 때, 어째서 단순히 십자가, 성호를 긋는 것만으로
불이 꺼질 거라고 확신한 거지? 진짜 신기하다.

난 내가 하려는 일에 하느님 아버지가 왜 기적을 행하셔야 하고
내가 하려는 일이 주님 뜻에 맞는지도 모르겠는데
주님이 나를 기적으로 도우시리라는 것을 어떻게 장담해?
정말 신기해….

아버지가 움직이지 않을 수 없게끔 하는 그 말도 안 되는 미친
사랑을 나도 하고 싶어. 그 미친 신뢰를 나도 드리고 싶어.

나는 C 날을 이후로 이미 황무지를 걷기 시작했지만,
나는 내 생에서 모든 걸 다 경험해 보고 싶어….

데레사처럼 희생하고 사랑하며 사는 단조로운 삶과,

모든 것을 초월한 사랑의 기적을 행하며 사는 놀라운 삶을 다 살아보고 싶어. 아버지는 불가능이 없으시니까 내 삶을 두 군데로 쪼개서 그렇게 해 주실 수도 있을 텐데.

하지만 역시, 작은 길을 걷고자 하는 아이 같은 영혼에게 저런 길을 '바라는' 건 안 될 말이겠지?

그러니 만일 이러한 바람이 주님이 주시는 내 길에 어긋난다면 바라고 싶지 않아.

기적에 관심 두지 마. 교만을 버려. 욕심을 버려. 너는 큰 길을 요구하지 마. 아버지의 뜻 말고는 기적도 부질없으니, 너는 그런 것에 신경 쓰지 말고 네 길을 걸어가.

성모님의 침묵

성모님. 참으로 성모님을 닮고 싶다.
침묵. 정말이지 감미로운 덕행이다.
아, 정말로… 침묵이란 참으로 감미로운 덕행이다….

만일 내게 실천하고 있고 또 더 실천하고 싶은 덕행이 있다면
그것은 바로 침묵일 것이다.

필요하고, 하느님이 원하시고, 하느님께 영광이 되고, 다른 영혼
에 도움이 되기 때문에 말하는 것을 제외하면,

더 이상 하느님에 대한 것도 말하고 싶지 않다.

진정으로 침묵한다면
모든 것을 마음 속에 간직하는 것이라고…
성모님처럼….

시험한다는 것

어떻게 설명해야 할지는 모르겠지만,
보통 누구든지 간에 사람이 사람을 시험하는 태도를 보일 때면
나는 어딘가 거북스러운 기분을 느끼게 된다.
특히 성덕聖德에 있어서도 상대의 반응이 궁금해서 시험해 보는
사례들이 성인들의 일화에서도 참 많은데, 그런데 무언가… 좀 별
로랄까, 그다지 시험하는 자신에게는 전혀 좋은 일이 아닌 것 같다.

시험 당한 성인들의 **훌륭한 겸손의 반응**을 통해 감동을 얻게 되
는 그런 결과는 참 좋다고 생각하지만, 이상하게도, 뭐랄까, 상대를
시험하는 의도의 그 깊은 면에는 어떤, 그다지 덕스럽지 않은 무언
가가 존재하는 것 같다.

호기심. 누군가의, 심지어는 성덕에 대한 호기심이라 할지라도
이건 별로 겸손하지 못한 것 같다. 오히려 교만한 부분이 있고
진중하지 못한 부분이 있다고 여겨진다….

그래, 꼭 자신이 심판석에 앉은 심판자인 양 구는 것처럼 보인다.
자신은 **훌륭한 판단의 잣대**를 가지고 있다고 여기면서 말이다….

물론 그들의 시험에 참으로 덕스럽게 반응한 성인들의 훌륭한 겸
손은 후에 그들의 전기에 자랑스럽게 실리게 되겠지만, 정작 시험

한 본인은 보통 성인의 옆에 등장하는 엑스트라1 정도가 되어버리는 거 아닌가 싶다.

삶에서는 당연히 시험해보아야 하는 것들이 있다.

음식도 상했는지 살펴보기 위해 살짝 찍어먹어 보기도 하고,

사람을 사귈 때에도 조심성을 가지고 판단하기 위해 은근히 시험해야 할 때가 있다.

세상과 관계에 시험은 필요하지만, 늘 자신의 의도를 잘 살펴야 하는 것 같다. 특히 누군가 다른 이를 시험할 때, 그것이 이기적인 호기심에서 온 것은 아닌지, 교만과 악의에서 온 것은 아닌지 말이다. 성경에서도 바리사이들이 예수님을 시험할 때, 늘 그분을 모욕하거나 트집을 잡거나, 위험과 궁지에 몰아넣으려는 불순한 의도를 가지고 있었으니까….

또 만일 나의 영혼에 이득이 되지 않는 일이라면, 설령 그것이 성덕에 대한 것이라 하더라도 왜 나와 상관없는 누군가의 성덕에 지나치게 관심을 가지고 들추어내고 시험해 보려 한단 말인가? 만일 예수님이었다면, "그게 너와 무슨 상관이냐?"라고 하실 일을. [7]

십자가의 성 요한께서도 형제들 중 누가 성덕이 더 뛰어난지 살피거나 신경 쓰는 것은 부질없는 짓이라 하셨던 것으로, 그분의 책

---

7) 성 베드로가 자신의 죽음에 대한 예고를 받고는(요한 21,18-23) 성 요한이 어떻게 될 지를 물었을 때 "그것이 너와 무슨 상관이냐? 너는 나를 따라라."라고 하신 일처럼.

에서 읽은 기억이 있다. 영혼의 평화와 고요를 간직하고, 죄와 불완전에서 벗어나기 위해서는, 그런 것들에 정신 팔고 상관할 것이 아니라, 아무도 없는 듯이 살아야 한다고…8)

그러니 내게 해가 되는 시험을 행하는 것은 정말 불행한 일이다.

사람들 사이에서도 그럴진대, 신과 인간은 어떨까.

건방지게 하느님을 시험하느니, 평생 시험당하는 편이 낫지 않나? 하느님은 우리를 시험하셔도 된다. 그분은 모든 면에서 그러실 자격이 있으신 분이니까.

그러나 인간은 설령 같은 사람에게라도-사제, 장상의 경우에는 그

---

8) 십자가의 성 요한, 『십자가의 성 요한 소품집』, 대전 까르멜 여자 수도원 옮김, 햇빛출판사, p60-61
"첫째 권고의 인종을 지키기에는 마치 수도원 안에 딴 사람이 아무도 없는 듯이 살아야 합니다. 따라서 수도 단체에 생기는 일이나 수사들 한 사람 한 사람에 관한 것에 말과 생각으로 간섭해서는 안 되고 저들의 장점이나 단점 또는 그 성질 등에 관심을 두어서도 안 됩니다. 비록 세상이 무너진단들, 거기에 정신을 팔거나 상관해서는 안 됩니다. 죽는 이들의 부르짖는 법석에 머리를 돌린 탓으로 소금돌이 된 롯의 아내를 생각하여 영혼의 평화를 보존하기 위해서입니다.
이건 아주 엄중하게 지켜야 하는 것이, 이렇게 하면 많은 죄와 불완전을 벗어나고 영혼의 평화와 고요를 간직하며 하느님과 사람들 앞에 장족의 진보를 거두기 때문입니다. 이 점에 크게 조심해야 합니다. 이 것은 아주 중요하니 숱한 수도자들이 이것을 지키지 않았기에 자기 나름대로의 덕행과 신심 행위로 덕을 보기는커녕 줄곧 뒷걸음쳐서 악에서 악으로 굴러떨어졌습니다."

의 목자로서의 직책과 의무 때문에 때에 따라서는 시험하는 것이 합당하고 그것이 그의 권리가 되겠지만- 시험하기보다는 차라리 모든 것을 견디는 것이 나은 것 같다.

불필요하게, 불순하게 누군가를 시험하는 것은 교만이라고 생각한다. 시험한다, 그것은 사실, 하느님만의 특권인 것 같다.

사랑의 운명으로

혹시라도
내 삶에 하느님 뜻의 운명이 쓰여 있지 않다면
그럼 나는 내 삶을 사랑의 운명으로 그려갈 거야.

아무것도 바라는 것 없이 내 삶을 지켜보고 계시는 하느님이라면
나는 그 삶을 하느님 마음에 드는 삶으로 만들어 나갈 거야.

혹시라도 언젠가,
시련이 오고 암흑이 오고 공허와 허무가 오고,
더 이상 좋은 생각도 떠오르지 않고 전에 알던 모든 거룩한 지혜
마저 까마득히 잊어버리게 되더라도

나는 내가 바라던 모든 것을 얻었음에 주님께 감사드릴 거야.

완전한 어둠 속에서도 주님을 사랑하는 것.
감추어진 앎 속에서도 주님을 사랑하는 것.
다른 이들이 겪는 모든 마음의 시련을 나도 모두 겪으면서
다른 이들이 드리지 못했던 신뢰와 사랑을 나는 주님께 드리고
싶다고

언젠가 내 안에서 도저히 더 이상의 사랑도 느낄 수 없고

또 혹시라도 더 이상의 맹목적인 신뢰를 하느님께 드리지 못하고 있다고 느껴지는 때가 온다면

그때 나는 세 가지 태양 중에서
마지막인 희망의 태양을 마음속에 꼭 품고
거룩한 희망의 마리아께 의탁하면서
하느님의 눈동자를 바라보겠노라고….

그리고 마리아의 괴로움처럼 내 영혼과 정신과 마음에 시련을 겪는 날이 오면 그 모든 것을 마리아 님처럼 순명과 사랑으로 행복히 즐거이 견디어 보겠노라고.

전부터 자주 생각하고 바랐으니까요.
세상의 모든 공허는 다 짊어져도 그 안에서 피어나는 사랑을 보여 드리고,
세상 어둠의 더러운 구덩이 속에 빠져 있더라도
신뢰로 찬란히 빛나는 눈으로 아버지께 손 뻗고 희망하고 싶다고.

내 존재 자체가 신뢰가 되고 사랑이 되어서
내가 어디에 있고 어느 때에 있어도
나는 단지 사랑하고 신뢰하기만 할 것으로 생각합니다.
설령 그럴 수 없대도 그러고 싶다고 생각합니다.

어느 생각이 나를 괴롭혀도,
당신을 향한 내 정신의 솜털 하나도 건들지 못할 것입니다.

그러나 만일 제가 답답함에 무언가의 말을 쏟아붓는 날이 온다면
그때 저는 당신의 눈을 가리고 귀를 막을 거예요.
당신은 모든 것을 아시지만 아무것도 모르는 척하시는 분이니까
　저도 전능하신 당신의 그러하심을 알면서도 아무것도 모르는 아
이처럼 당신을 사랑하겠습니다.

작은 바람

'고통은 우리를 지상에 더 있고 싶게 만든다.'

사랑 때문에 희생하고 고통받는 것도 이 지상에서뿐이니까….
하지만…. 이제는 사랑 때문에 아버지의 곁에 너무나 가고 싶어서
지상에 더 이상 있고 싶지 않고
아무것에도 미련을 느낄 수 없고
이 지상의 무엇에도 관심이 없고
심지어는 다른 사람에 대한 것도 아무 상관 없이
오로지 하느님과 함께 있기 위해 죽고 싶다.

젊어서 죽거나 늙어서 죽거나
다 결국은 하느님의 뜻일 뿐이다…

다만 살고 싶다.
살기 위해서 죽고 싶다.
정말로, 죽음이 내게 다가온다는 것은
하느님 안에서 내가 당신 곁에 날아갈 준비가 되고,
하느님의 뜻이 천국 문을 열 그때가 다가옴을 의미하기에

그날이 속히 오면 좋겠다.

정말이지, 이르거나 늦거나 단지 하느님의 뜻일 뿐이지만,
젊어서 죽든 늙어서 죽든 다 하느님의 뜻이면 그뿐이지만,

나의 이 원의도 만일 주님으로부터 온 것이라면

주님.

'이 꽃이 시들기 전에 나를 따러 와 주세요.'

'푸르고 생기 넘치는 그 순간을 영원으로 심어주세요.
나의 사랑하올 하느님, 나의 비둘기, 나의 영원이여.'

사랑하는 직책

사람들을 보고 그들과 대화하고 있으면 사람이 자기 자신을 버리기란 참 쉽지 않다는 걸 새삼 느낀다.

자기 주장이 틀리거나 지가가 지식이 조금 부족해, 무언갈 잘못 알고 있을 가능성이 있거나, 실제로 잘못 알고 있다는 것이 뭐 그렇게 대수로운 일이라고 기분 나빠하거나 거북스러운 감정을 가지는 것인지 모르겠다. 자기 자신을 뭐라고 생각하는 거야. 그냥 그럴 수도 있는 일을 가지고….

사실은 내가 예전에 이런 이들과 같은 사람이었기 때문에 그걸 잘 아는데, 지금은 주님 안에서 깨달은 바가 있기에 역시 그것이 어떤 상태일지 안다.

이유는 단지 하나일 뿐이다.
자기 자신을 버리지 못하니까….
뭐 그렇게 믿을 만한 구석이 우리에게 있다고 그렇게나 스스로가 가진 지식, 지혜에 애착해서 주님께 드려야 할 믿음과 신뢰를 자기 자신한테 주고, 하느님과 떨어져 있는 것인지 모르겠다.
아니 사실 다 알고 있는데도 답답한 것이다. 자기 자신을 너무 믿는다, 사람들은…. 우리가 도대체 어디가 그렇게 지혜롭고 현명하다고?

자기가 아는 게 언제나 참으로 지혜롭다고 생각한다.

자기가 주장하는 것이 참으로 그에게 도움이 될 것이고,

자기 말대로 따르지 않으면 어리석은 사람이라고 여기면서 동정한다.

차라리 내가 동정해 주고 싶다, 불쌍한 이들이여….

분주히 움직이던 그때의 마르타는 마리아가 자기를 좀 본받고 닮기를 바라지만, 사실상 정말 좋은 몫은 마리아가 다 가지고 제일 좋은 자리와 지혜도 다 마리아가 가지고 있는 것이다.

사실 우리가 갈망할 일은 이리저리 분주하게 옮겨 다니면서-심지어 그것이 하느님을 위한 지향이라고 스스로가 여길지라도- 무슨 활동을 하는 데 있는 게 아니라, 우선 하느님의 얼굴을 바라보고 그분 곁에 앉아서 그분과 서로 사랑하고 위로하고 주고받고 하는 데 있는 것이다. 일은 하느님이 우리에게 뜻하시는 그것만 하면 된다. 그리고 사실은 무엇보다도, 해야할 일이라곤 사랑하는 일밖에 없는 마리아 같은 영혼이 제일 좋은 것이다.

사랑하는 직책.

내가 늘 하고 싶은 것도 이것이다.

언제나 열심히 사랑하는 것 말이다.

그리고 아무도 내게서 이 몫을 빼앗아 가지 못할 것이다.

사랑 〉 고통

나는 사랑이 고통으로밖에 표현될 수 없다고 말하는 건 싫어.
그런 건 정말 싫어.
고통이 싫은 게 아니라, 심지어는 어느 때에 저런 말들이
심지어는 사랑에 불순물이 섞이게 하는 것 같아서 너무 싫어.
특히 그들은 겉으로 보이고 느껴지는 고통에 대해 말하니까.

그러나 그런 것을 떠나서라도,
어째서 '사랑'보다 '고통'을 더 강조하는 거야?

그렇다면 아버지다운 사랑이라는 게 뭔데?
자식다운 사랑이라는 건 뭔데.

사랑이 뭔데.
이 더럽고 죄악이 가득한 세상에서는 결국 모든 것이,
심지어는 '작은 길'마저도 다 고통의 가시밭길이라고 겁주고 싶은
건가?
그러나 태초에 하느님 아버지께서 아담을 창조하셨을 때, 하느님
께선 그가 '사랑을 하기를 바랐'을까, '고통을 당하기를 바랐'을까?

이제 뭐 때문에 이렇게 가슴이 답답한지도 모르겠다.

위대한 희생 같은 걸 하고 싶은 게 아냐.

거대한 고통 같은 걸 '받고 싶은' 게 아니라고.

보잘것없고 하찮고 일상적인 것들에서 그냥 사랑하면서 살고 싶어.

기적도 소소하게 그냥 삶 안에서 산들바람처럼 느끼면서 살고 싶어.

거대한 기적들에만 열광하고 몰려다니고

시현자들을 둘러싸고 손대고 밀치고 당기고

하늘 보며 오오오거리고 미친 듯이 부르짖고….

다들 미치광이야. 나는 그런 걸 바라지 않아….

다 뭐가 뭔지 모르겠어.

뭐야. 이건 다 뭔데.

겉으로 드러나는, 그들이 내세울 수 있는 그런 고통의 흔적을 내 앞에 흔들어 대면서

고통으로 경쟁을 하려고 하지 말란 말이야.

눈으로 보이고 거대한 표식이 있는 것들만 가치 있게 여기면서

작고 보잘것없어 보이는 것들을 우습게 여기지 말란 말이야.

그럼 온갖 고문을 다 겪고 목이 잘리고 짐승에 뜯겨 죽은 성인들이, '겉으로는 덜 고문적인 삶'을 살다 평온히 잠들 듯이 죽음을 맞이한 성모님보다 위대하다는 거야?

내면으로 받은 고통의 무게는 잴 수도 없으면서
영혼의 내면의 괴로움은 저울에 달아 재지도 못할 거면서
그 괴로움의 순수함과 기원과 가치를 가릴 능력도 없으면서
인간적인 고통의 크기로 서로의 업적을 다투려 하지 말아.

사랑의 깊이, 사랑의 우위, 순수한 사랑, 고통의 순수함.
모든 건 하느님만이 올바르게 판단할 줄 아시니,
그런 걸로 사람들끼리, 부질없이 우위를 겨루지 말아.

그 어떤 성인도 고통이 커서가 아니라 '사랑이 커서', 그 사랑의
위대함 때문에 성인이 되었으니,
내게 가지신 하느님의 뜻의 결말에 사랑의 십자가를 지고 가는
것, 그것으로 사는 데에 집중하면 되는 거잖아.

찢겨 죽든, 베여 죽든, 삶아 죽든, 상사로 죽든,
그 고통을 신경 쓸 겨를도 없을 정도로 사랑하는 법을 내게 말해
줘. 그 모든 걸 견디게 하고 달콤하게 만들어 버리는 사랑의 놀라
움을 알게 해 줘. 그 사랑을 내게 보여 줘.

'내게 힘을 주시는 그리스도 안에서, 모든 것을 할 수 있을' 만큼
사랑할 수 있길 바랄 뿐이야.

눈물

세상의 모든 것이 헛되고 부질없음을 알았어요…

그 어느 것도 제게 아름다움을, 즐거움을 주지 못해요….

주님, 마음만 점점 더 무거워지고 세상이 눈물로밖에 보이질 않네요…. 사랑합니다, 하느님… 당신을 사랑합니다….

하느님의 친구

*당신이 눈물로 얻은 것을 웃음 가운데 잃지 않도록 주의하라.
*어느 누구도 많은 시험과 환난을 거치기 전에는 자신을 하느님의 완전한 친구로 생각할 수 없느니라." (어느 서적에서 읽은 글귀)

내가 이것보다 더한 시련을 겪게 된다 해도
내가 하느님의 완전한 친구라고 여길 수는 없을 거야….
그걸 정하는 건 예수님일 테니까….
이것보다 더한 어둠을 지나간다 해도 그건 언제나 아무것도 아닐 거야… 내 고통 같은 건 아무것도 아니니까….

그러니 내가 아버지를 사랑하기 때문에 그 어떤 걸 견뎌낸다고 해도,
주제넘게 "자, 이제 뭘 주실래요?" 같은 소리 하지 말고
"난 쓸모없고 아무것도 아닌 애예요."하고 말해야겠다.

그냥 주시는 대로 받아야지. 그래도 기대하지 않을 수는 없을 거야. 그분이 당신을 사랑하는 자녀에게 인색한 분일 수가 없을 테니까….

희망의 어머니

희망. 희망은 우리에게 위로를 준다.

아, 그래서였구나.

그래서 우리의 어머니(Our Lady of Hope)께서는

그토록 내게 위로가 되셨던 것이구나.

성 미카엘 오라버니

네, 오라버니.

성 미카엘 당신은 나의 오라버니입니다.

그리고 나는 당신의 천사적 동생이 되고 싶어요.

당신의 이름에 'Saint'라는 단어가 붙어서 참으로 행복합니다.

당신은 겸손과 올곧음으로 교회의 왕자가 되시는 영광을 누리셨으니, 나의 오라버니, 저에게도 사랑과 겸손의 덕을 얻어 주시어 당신처럼 강함과 용맹의 동생이 되게 해 주시면 좋겠습니다.

어느 날의 혼잣말

아침엔 되게 평화 속에서 기쁘고 즐거움을 느꼈지.

지금은 다시 언제나처럼 메마르고 무미건조하지만.

분명 아침에 쓴 내 일기가 주님 마음에 들었던 게 분명해.

그래서 주님이 나를 거룩하게 만드시려고 어두운 밤 속에 두시면서도, 너무 기쁘셔서 절로 나에게 다시 기쁨을 선물해 주신 거지. 하하하.

귀양살이

이 세상에서 이런 고통을 겪는 것은 당연한 일이야.

이곳은 귀양살이 중인 땅이니까.

그러니까 하느님 아버지한테 너무 찡찡대지 말고 견디어 나가야겠다. 하느님이 당신의 잃어버린 양들을 도로 되찾아서 돌아오시는 그때를 기다리면서, 온순하게 인내하면서 이 황무지에서 내 사랑스런 목자 예수님을 기다리고 있어야겠다.

결심

피정의 시작이다. (4-9일)

휴식 시간에 비를 흩뿌리는 어두운 밤하늘을 바라보며 맹세했다.

결코 실망하지 않겠어.
천 번 죽고 만 번 죽고 다시 살아난대도
나는 언제나 하느님을 바라보며 희망할 것이다.
언제나 하느님께 바라고 청하고 희망할 것이다.

그분은 분명히 말씀하셨다.
당신 이름으로 청하는 것은 '무엇이든지' 들어주겠다고.

그러니 나는 희망이 될 거야.
내 존재가 희망 그 자체가 되게 희망하겠어.
모든 현실과 한계를 초월해서 희망하고
안 된다고 한 것도 되게 만들 미친 희망으로
한계를 찢고 부딪혀 보겠다고.

아버지. 그렇게 희망한다 해도
당신께는 분명 넘치는 희망이 아니겠지요.

그러니 제가 어떻게 희망한대도
그것보다 더 넘치는 하느님이신 당신을 믿습니다. 하느님!

성모님을 통해서

정말 모든 것을 성모님을 통해서 바치겠어.
내 숨 하나도, 내 심장박동과 맥박 하나도
다 성모님의 심장을 통해서 바칠 거야.

단 한순간도

아, 나도 통고의 모후의 성 가브리엘처럼, 단 한순간도 그냥 보내지 않고 주님의 어머니의 슬픔과 고통과 기쁨을 묵상함으로써 영광을 드릴 수 있으면 좋겠다. 정말 단 한순간도 소홀히 하지 않고 주님 얼굴을 바라보고, 주님 이름을 찬미하고, 주님 성심을 기쁘게 해 드림으로써 다시 그분 얼굴에 미소를 띠우고 빛나게 해 드리고 싶다!

성모님의 슬픔의 왕국

언젠가 죽고 나면 슬픔의 성모님을 공경한 이들에게는 그들을 위한 특별한 자리가 주어질 것 같다.

성모님의 성심 한 곳에 그 슬픔을 공경한 이들만이 들어갈 수 있는 비밀스러운 특별한 성 같은 곳이 있는데, 그 안에는 다른 정원들에서는 알지 못하는 수많은 새로운 신비와 비밀들이 들어 있는 것이다.

그리고 슬픔의 성모의 아이들만이 그 성에 들어가고

그 보물을 가지고 그 보물을 알아볼 능력이 있을 것이다.

성가정의 생의 책

언젠가 제가 죽어 당신 곁에 가면,
제게 성가정의 생의 책을 한 권 주시겠습니까?

성 요셉의 눈과 마음으로 하느님과 하느님의 어머니의 삶을 바라
보고 살고 느끼고 사랑하며,
성모 마리아의 눈과 가슴으로 아기 예수,
영원히 '내 아들'이신 예수를 사랑할 수 있도록,

언제나 예수와 마리아와 요셉이 겪었던
모든 슬픔, 괴로움, 기쁨과 행복을 다시 되새기고 또 보고 또 볼
수 있도록

당신의 특별한 생애가 담긴 책을 한 권 주시기를 바랍니다…

물고기 같은 영혼이 되어서

아, 아버지의 발아래에서
짓밟히는 모래알처럼 저를 밟아 뭉개주십시오….

아아, 당신의 그 거룩하신 눈길에
제 영혼을 사랑으로 불살라 태워 없애주십시오….

아, 하느님의 어머니 마리아의
슬픔의 그 지독한 아름다움의 바다 속에서
세상의 숨에 죽고 거룩한 숨으로 다시 살아나면,
그 아름다움 속 한 마리의 물고기 같은 영혼이 되어서
당신의 아름다운 어머니의 바다 속에서
영원히 헤엄치며 살아가게 해 주십시오….

당신과 하나 되기를

나라는 게 있어야 하겠습니까?

사라지고 싶어요. 나라는 사랑.
사라지고 싶나이다. 나라는 존재…

하느님 안에서
하느님의 사랑 안에서
하느님의 세상 안에서
하느님의 존재 안에서
완전히 사라져 버리고 싶나이다.

손안에서 바스러지는 재처럼,
바람결에 흩날려 가는 민들레 꽃씨처럼,
하느님의 뜻과 하느님의 모든 것 안에서
짓눌리고 바스러지고 깨어지고 뭉개져서
완전히 하느님 안에 녹아 들어서
없어져 버리고 싶나이다…

나의 하느님이여, 존재하는 존재,
사랑 그 자체, 사랑의 존재,
우리 존재의 근원이자 목적이자 운명이여,

아, 이 작고 보잘것없는, 허무 그 자체인 영혼이

당신 안에서, 온전히,

당신과 하나 되기를 바라나이다….

성인들에 감탄하며

소화 데레사는 내가 생각하고 있는 것보다도 훨씬 더 겸손한 게 확실하다. 왜냐하면 그녀는 성인이니까! 알려지지 않은 거룩함이 그녀에게는 더욱 많을 거야.

성 안토니오, 성 알퐁소 리구오리, 성 프란치스코.

도대체가 그들은 얼마나 위대한지,

그들이 깨닫고 실천한 것을 생각하면 데레사의 말처럼 정말 하늘 위의 저 별과 이 땅바닥의 모래알 같은 차이를 느낀다.

그리고 데레사의 훌륭한 가르침은

내 마음에 떠오르는 좋은 지혜와 좋은 깨달음의 수가 많으면 많을수록, 그것이 다 내 덕 때문이라고 착각했다가는 그저 바보가 될 뿐이라는 사실을 알려 준다.

내가 깨달은 건 저 성 알퐁소의 방대한 양의 책들과 가르침에서 고작 몇 줄 정도의 양이라고도 할 수 있을 것이다.

그런데 그것을 다 실천하고 있는 것도 아니므로 나는 겸손해야 하며, 성 알퐁소의 경우 여하간 저 수많은 신비를 깨달았을 뿐만 아니라 행하기까지 했으니 얼마나 성인에 합당하며 어울리냐, 위대하냐 이 말이다.

아, 이 개미 같은 성덕이여!

그래도 나는 내 자신의 성덕이라는 것에 의지하기를 이미 오래전에 포기했으니 참 다행이다. 나도 소화 데레사처럼 오로지 예수님의 공로와 예수님이 친히 내 성덕이 되어 주시기를 바라고 있으니까, 마음이 참 편하다.

아무래도 좋다. 그저 언제나 겸손해야겠다.

그러고 싶다. 교만이 내 안에 자리하려 들면 그때마다 즉시 내 주님이 박살 내 주시면 좋겠다. 그러나 주님한테 교만 때문에 꾸중을 듣는 건 슬프고 가슴 쓰린 일이니까 주님께서 늘 내가 겸손할 수 있도록 다스려 주시기를 빈다.

조각글

●

천사들의 여왕 마리아.

이 칭호는 심오한 깊이를 가지고 있는 것 같다…

●

하느님을 사랑합니다.

아, 어쩜 이렇게 하느님의 일에 소홀하고 부지런하지 못할까요?

그런 저를 불쌍히 여겨 주세요, 아버지….

그리고 언제나 아버지를 사랑합니다.

●

내 무능을 사랑하고

다른 사람들 안의 덕과 그들의 덕행과 공로를 보며 기뻐하자.

●

기도하고 싶다. 하느님을 사랑합니다.

기도하고 싶어. 하느님을 사랑합니다.

기도하고 싶어. 하느님 당신을 사랑하나이다.

●

야훼.

구약 시대에 이스라엘인들이 하느님을 부르던 고유 명사.
'나는 있는 나다'라는 뜻.

●

하느님의 이름.
아, 신비로운 하느님의 이름!

●

별을 머리에 이고
달을 밟고
태양을 품은 여인.

아, 마리아! 마리아여!

세상에서 가장 거룩한 여인이여!

천사들마저도 감복한 겸손과 순종과 위대함의 티 없는 여인이여!
만인의 여왕, 천사들의 여왕, 하느님의 어머니, 천상의 여왕님!

●

그토록 죽음을 원해도
아버지가 내 징징대는 소리 듣지 못하도록
어머니 품 안에서만 폭 안긴 채 징징대고 청해야겠다.

●

레지나 안젤로룸! Regina Angelorum!

●

이젠 아무래도 좋아.
아무래도 상관없어.

하느님, 사랑합니다.
당신은 참으로 나의 사랑스런 하느님입니다.
기도합니다.
당신을 사랑합니다.
영원히 은애합니다.

제6부

생의 의미

길을 주시는 하느님

모두의 행복

작은 愛의 노래 - 데레사에 영감을 받아

사랑하여, 삶

내 스스로를 다독이면서

바라고 향해야 할 것

모든 것은 하느님의 영광

A, Ω

많은 신심 서적

예수가 우리의 구원자라는 것의 의미

죽음

하느님, 성자 예수, 구원, 사랑

사랑에 맡기고 자유롭게

밀알 한 알

죽음에 대한 생각

사랑으로 살고 있는가

오! 사랑해요

길을 주시는 하느님

거룩한 얼굴 신심을 제게 주신 하느님은 찬미 받으소서!

아버지, 저는 많은 것을 바라지만 아무것도 원하고 싶지 않고 하고 싶지 않은 기분 또한 느껴요.

제가 어떡하면 좋을까요? 아버지. 좋은 생각 좀 알려주시면 안 돼요? 아버지를 사랑해요. 아버지의 기쁜 뜻이 이루어지세요.
아버지 당신을 사랑해요.
당신이 참으로 흡족해할 그런 길을 걷게 해 주세요….

모두의 행복

아아, 모두가 행복했으면 좋겠어.
정말 모두가 행복했으면 좋겠어.
진정한 사랑 안에서 올곧게 살면서
정말로 모두가 바른 삶 안에서 행복하기를 바라.

●

아기 예수님, 나의 사랑이 되어 주세요.

작은 愛의 노래 - 데레사에 영감을 받아

아버지, 제가 원하는 건 당신이에요.

제가 원하는 것은 진정한 사랑입니다.

제가 원하는 것, 그것은 천국이나 천국의 영광이라 할지라도 아닙니다. 당신이 만드신 '피조물'에 홀리고 싶지는 않아요, 나의 주님.

천국의 모든 것들도 결국은 당신이 아니라 당신의 창조물이겠지요.. 그러니 하느님만을 원합니다. 저는 참으로 부족하지만, 사랑을 원합니다. 사랑 이외의 모든 것들은-심지어 천국이라 할지라도-결국 제 마음을 피로하게 하고, 절망하게 하고, 슬프게 만들어요.

저는 작고도 빈약한 심장을 가지고 있어서 무언가 하나를 원하게 되면 다른 것은 곧 잊어버리고 맙니다…. 그러니 하느님, 저는 사랑만을 원합니다. 하느님, 나의 모든 원의가 하느님 안에서 당신의 올곧음의 성의에 따라 흐르는 해가 되게 해 주십시오. 아아… 당신 말고는 그 무슨 선하고 고귀한 것이라 할지라도 더 이상 바라지 않을 거예요….

사랑하여, 삶

나는 사랑하는 방법을 알려주는 삶들을 보고 싶어.
우리 아기 예수의 데레사처럼, 마르셀 반처럼,
나처럼 작고 연약한 영혼들이 하느님을 기쁘게 해 드린 방법들을
살펴보고 힘을 내고 싶어.

다른 위대한 덕들 따위 어차피 내 것이 될 수 없으니까
괜히 그런 것들과 관련된 책이나 이야기들에 너무 매몰해서 시간
을 낭비하진 않겠어.
오로지 사랑하기 위한 시간을 살고, 사랑하기 위해 필요한 책들만
을 읽고 싶어.

나는 하느님을 영원히 사랑할 거야.
그리고 성인 만드시는 건 내가 하느님을 사랑하면
주님께서 절로 당신 손으로 해 주실 일이야.

성녀가 되기를 바란다 해도, 성녀가 되기 위해 살지는 않겠어.
오로지 사랑하고 싶으니까, 사랑하면서 살고 싶으니까,
단지 그것으로 족해.

하느님을 사랑하여, 살 거야.

내 스스로를 다독이면서

그래, 만일 내가 안나 가타리나 엔메릭 같은 삶을 살기로 선택받은 영혼이었다면, 내게는 그것을 살아 나갈 모든 좋은 덕들과 기회들이 주어졌었겠지.

그러나, 봐, 내 삶은 나만이 걷고 있는 지금 이 순간들이야.
이건 다른 누구의 삶도 아니고, 아버지로부터 내게 주어진 나만의 삶인 거야.

그 누구의 삶이든, '자기 몫이 가장 아름다워'.
나는 나의 몫이 진실로 아름답다고 생각해. 정말로 마음에 들어.
누가 만일 다른 이의 삶을 바꿔치기해서 준다고 하더라도 단호히 거절하겠어.
지금 이 순간 나에게 주시는 주님의 뜻과, 현순간에도 완전하고 충만한 주님의 은총을 신뢰해.

하느님께서 하늘나라에 큰 느티나무도 하나 심고 싶어 하시고, 장미도 심고, 해바라기도 심고, 야생화도 심고, 작고 귀여운 민들레도 심고 강아지풀도 심으시려는데, 강아지풀이 느티나무가 되고 싶어 한다고 하면 어찌 되겠어?

하느님의 세상 안에서 아무것도 부족한 것은 없어.

그러니까 다른 성인들과 비교할 필요도 없어.
나는 내 삶 안에서 사랑스런 하느님의 친구가 되겠어.

지금 주어진 곳에 있는 하느님의 뜻을 신뢰해.
이 삶 안에서 아버지와 사랑하면서
아버지와 친구하고
아버지와 웃으면서 헤쳐 나가면서
그렇게 살 거야.

바라고 향해야 할 것

그래 맞아. 우리에게는 한없이 부요하고 지혜롭고 풍요롭고 위대하신 아버지가 있고, 그 아버지의 모든 것이 이미 자녀인 우리의 것이라면, 그것을 애써 원할 필요도 어디에 있겠어?

눈을 돌려 그것을 탐하는 눈길을 보낼 필요조차 없잖아.

아버지의 것이라면 어차피 다 자녀인 우리 거니까.

그러니까 우리 눈이 사랑 가득한 마음으로 바라보고 향할 것은 바로 우리 아버지의 얼굴이라는 거야. 우리 아버지!

사랑스런 우리 아버지라는 거지!

모든 것은 하느님의 영광

아무것도 가지지 않은 채 하느님께 가자.

내가 원하던 모든 덕과 기적으로 가득한 삶을 살았던 성인들을, 그들 자체로 사랑하자.

그 삶이 내 삶이 아니라 그 언니, 그 오빠의 삶이었음에 감사드리고, 그 안에서 드러난 하느님의 자비와 위대함을 그저 찬양하면서 살자.

애덕의 들숨 날숨을 위해서, 모든 성인들을 사랑하자.
그러나 그들을 통해 드러난 위대함과 모든 덕을 그들의 것으로 생각하지 말고, 그저 아무것도 아닌 피조물을 그렇게나 영광스럽게 만드셨던 능력 있는 하느님만을 찬미하자.

모든 덕, 내가 다른 모든 영혼과 그들의 삶에서 발견하는 모든 덕과 아름다움은 그들의 것이 아니라 하느님의 것임을 인정하자.

그렇기 때문에 그 어떤 성인의 위대함에도
짓눌릴 필요가 없다. 좌절할 필요가 없다.

언제나 잊지 말자.

모든 것은 하느님의 활동이었고

찬미 받을 것은 하느님의 손, 하느님의 사랑뿐이시다는 것을.

A, Ω

알파요, 오메가.

하느님은 참으로 신기한 분이세요.
사실 하느님, 당신께서는 "나는 시작이요, 끝이다"라고 말씀하셨지만, 당신께는 시작도 없고 끝도 없지 않아요? 당신은 모든 것을 초월해서 계시니까요.

'시작'과 '끝'이라는 것은 무한의 손에 의해 창조된
유한한 존재에게만 해당하는 개념인 것을….

그러나 주님, 당신께서는 '우리'의 시작과 끝이 되어 주셨으니,
바로 당신 손에 의해 우리 존재가 생명을 얻어 살기 시작했고,
이제 우리의 끝은 당신과 함께하는 '무한', 즉 영원이겠지요.

우리의 알파요, 오메가시여,
당신을 사랑하나이다.

하느님, 하느님.
당신을 사랑합니다….

많은 신심 서적

아버지, 어떡하죠?
저 모든 책들이 다 좋아보여요.
당신의 예수님과 성모님을 알기 위해
저걸 다 읽어봐야 할 것 같아요….

하지만 아버지, 나는 많이 읽고 싶은 게 아니라
많이 사랑하고 싶어요.

그러니 부탁드려요.
당신의 뜻 안에서 필요한 것은 읽고 익히더라도,
이 생에서 남은 시간 동안
제가 '많이 읽도록'이 아니라
'많이 사랑하도록' 이끌어 주세요.

예수가 우리의 구원자라는 것의 의미

"우리를 닮은 존재를 만들자"[9]

"너희는 내 벗이자 내 자녀들이다"

'나 말한 바 내 뒤에 오실 자 나보다 먼저 계신 고로 나에서 초월하신 자니라'[10]

(우리는 하느님의 모상대로 창조되었다. 그러므로 예수께서는 요한 성인 뒤에 오셨지만 그전에 계셨던 분이므로 우리는 그분의 자녀이고 그분을 닮도록 만들어졌다)

성부 성자 성령
말씀은 하느님이셨다
말씀이 육신을 취하시어-
하느님이 인간의 육신을 취하셨다
성육신-성자

아버지를 즐겁게 해 드리고 싶다고 생각하던 중, 떠오른 생각…

---

9) "Let us make man to our image and likeness"(Genesis 1:26 참고)
10) "This was he of whom I spoke: He that shall come after me, is preferred before me: because he was before me."(John 1:15), 복음서를 최초로 번역하신 한기근 바오로 신부의 번역본 버전〈신약성서〉(요왕 1:15) 참고

아버지의 즐거워하시는 모습…

그렇다. 모든 것은 '예수'를 통하지 않고서는 아버지께로, 아버지 하느님께로 갈 수 없다.

왜냐하면 예수는 하느님이시니까.

성육신, 예수는 바로 하느님이 인간에게 완전한 유대관계를 형성해 주시기 위해, 즉 우리를 구원하시고 우리를 진정한 당신 가족으로 받아들여 주시기 위해 취하신 모습.

즉 예수는 하느님이시고, 예수는 하느님의 뜻이고, 예수는 하느님의 완전한 사랑의 의지이며, 예수는 인간에게 주어진 진리 그 자체이고, 예수는 우리를 유일하게 영원히 살게 할 생명이다.

예수는 우리의 구원 그 자체이시다.

예수. 예수는 온전히 인간의 구원을 위해 하느님이 취하신 가장 완전한 모습이다.

그러니까, 인간인 우리가 하느님과의 가족, 즉 하느님 아버지와의 관계를 회복하고 친밀히 하려면 예수를 통하지 않고는 결코, 절대로 불가능한 것이다.

예수는 모든 것이다.

예수는 온전히 사랑할 그 대상이야.

오, 어째서 이제야 깊이 느끼는 것일까!
그렇다. 예수를 통하지 않고는 결코 구원될 수 없으니, 예수가 바로 인류의 구원이시기 때문이다.

예수께서 이 지상에 오시고,
예수께서 십자가 위에서 돌아가신 후 '인류의 죽음'을 쳐 이기시고 '하늘 문을 여시기 전'까지는
그 이전의 그 어떤 선조들도 아버지의 나라에 들어갈 수 없었다.
그 아무리 훌륭하고 의로운 예언자와 의인이라 할지라도 그들은 아버지의 하늘나라에 갈 수 없었어.

하늘나라는 상속재산이고, 이 상속재산이라는 것은 <u>예수의 이름을 믿는 '인간'에게만</u> 주어지는 거야. 예수의 이름과 예수의 (특히 마지막 수난의) 피를 받아들이지 않는 영혼은 결코 하느님 아버지를 뵈올 수 없다. 결코, 결코!

(아아, 그래서 Circumcision:예수 할례 날이 중요 축일 중 하나인 거구나. 그날이 바로 예수께서 첫 번째 피를 흘리시고, 마리아와 요셉의 입을 통해 당신의 이름을 공식적으로 세상에 드러낸 날이었으니까… 미쳤다, 너무 멋있다!)

예수를 통하지 않고는 결코 아버지를 뵈올 수 없다.

예수를 통하지 않는다는 것은 하느님이 친히 우리에게 계시하신 진리를 받아들이지 않는다는 것이고, 아버지께서 '인류'를 위해 (인류가 당신 곁으로 올 수 있도록) 닦으신 길을 따르지 않겠다는 의미이고, 아버지께서 예수를 통해 우리에게 보여주시는 '아버지의 자녀로서 본받아야 할 모범'을 보지 않겠다는 것이고,

태초부터 "우리와 닮은 존재를 만들자"고 하셨던 하느님, 그분이 드디어 육신을 통해 당신을 드러내시고 우리가 알아볼 수 있게 하시어 진정으로 당신과 우리가 가족이 되게 해 주신 그 신비,

제2위이신 성자께서 이 신비로서 취하신 '인성'을 믿지 않겠다는 것이니까….

그러나 하느님이시자 사람이신 성자 없이는, 즉 그분의 신성과 더불어 '인성' 없이는, 우리는 하느님과 <u>가족</u>이 될 수 없고 하느님의 <u>자녀</u>가 될 수 없고 하느님의 나라에 갈 수 없고 하느님 아버지를 뵐 수 없는 거야.

그런데 이 인성!
특히 육신, 오감, 마음(심장), 정신,
이 모든 것을 담은 채 예수님의 '인성'이 선명히 드러나는 것은
바로 《얼굴》이다.

예수께서 직접 당신 입으로 "나의 흠숭할 얼굴인 나의 보배로운

인성My precious Humanity which is My adorable Face"이라고 말씀하신 그 얼굴이 바로 예수님의 그 모든 구원의 역사, 구원의 신비, 인류 구원의 모든 것을 담아낸다.

아, 이건 정말 어마어마한 사실이다.
이건 진정 어마어마한 진실이다.

거룩한 얼굴에 대한 신심이 왜 모든 신심을 포괄하는지, 왜 신성한 사랑, 신성한 자비, 예수 성심, 그리고 신성한 하느님의 뜻에 대한 신심을 다 포괄하고 있다고 말하는지를 이제야 좀 더 알 것 같다.

죽음

소화 데레사가 죽음 후에 대해 생각하며 했던 말을 곰곰이 생각하다가(원래는 아시시의 성 프란치스코의 말이었는지도 모르겠다), 그녀가 한 말의 참으로 유익하고 값진 의미를 알게 되었다.

"내가 죽으면 내 장례에 대해 아무 말도 하지 않겠어요.
내 몸을 오른쪽에 두든 왼쪽에 두든 상관하지 않겠어요.
심지어 누가 내 몸 근처에 불을 놓는다 해도 나는 아무 말도 하지 않을 거예요. 이 생각이 얼마나 나를 자유롭게 하는지요!"11)

아, 그런 것이구나.
나에게도 이 생각이 참 필요한 것이다.

나도 내가 죽으면, 나의 것들이 어떻게 처리되든 상관하지 않겠다. 천국에서, 지상에 두고 온 것들에 뒤돌아보지도 않을 거다. 내가 남긴 여러 물건을 어떻게 처분하든, 내가 쓴 글들을 읽거나 말

---

11) 성면의 즈느비에브 수녀, 『권고와 추억』, 대전 가르멜 수녀원 옮김, 가톨릭 출판사, p223. 위의 기록에서는 기억에 의존하여 적은 것으로, 정확히는 다음과 같다.
　　"내가 죽으면―'시체'가 되면―침묵을 지키고 어떠한 충고도 주지 않겠어요. 나를 오른편에 놓든 왼편에 놓든 돕지 않을 거예요. 어떤 이들은 나를 이 편에 놓는 것이 더 좋다고 말하고, 또 다른 이들은 내 옆에 불을 놓기까지 한다 하더라도 나는 아무 말 않겠어요. 이런 생각은 우리 마음을 어지럽게 하는 하찮은 것들과 우리가 상관할 필요가 없는 모든 것에서 이탈하는 데에 얼마나 도움을 주는지요!"

거나 아무 말도 하지 않을 것이다.

나는 아무것도 신경 쓰지 않고 아버지 곁으로 갈 것이다.

아버지는 만사를 참으로 잘 처리해 주실 테니 내 뒷일은 모두 하느님 알아서 하시라고 아버지의 섭리 안에 다 맡겨두고 홀가분하게 가겠다.

————————————— ✝ —————————————

『…이런 생각은 우리 마음을 어지럽게 하는 하찮은 것들과 우리가 상관할 필요가 없는 모든 것에서 이탈하는 데에 얼마나 도움을 주는지요!』

또한 이 말은 죽음의 때뿐만이 아닌, 지금에도 많은 도움이 되는 말 같다. 데레사의 의도도 그러한 것일 테고.

자기 이탈이라는 것은 이 세상에서 살아가면서도 이미 죽기 시작하는 것이니까.

그러니 내게 불필요하게 분심을 일으키는 모든 것들, 내 의무도 아닌 '내가 상관할 필요가 없는 모든 것'들에서 마음을 정리하는 것이 늘 수련되어야 하겠다.

하느님, 성자 예수, 구원, 사랑

예수가 바로 구원의 문이었고 구원의 바위였고 구원 그 자체였다.

-

예수의 존재는 우리를 구원하고자 하시는 하느님의 사랑의 완전한 증거이다.

-

예수는 사랑의 육화 그 자체이다.

사랑을 알고 싶다면 예수를 찾아가면 된다.
사랑을 알고 싶다면 예수를 보면 된다.

말씀은 하느님이셨다.
그리하여 하느님께서는 육신을 취하여 이 지상에 내려오셨고,
그렇게 우리들 사이에 거처하시어 우리와 함께 살으셨는데,
삼위의 하느님 중 육신을 취하신 위는 제2위이신 성자셨다.

사랑에 맡기고 자유롭게

'곧'이라는 게 언제일까?

하지만 마음이 가난하기 위해서 하루하루를 언제나처럼 살아가야겠다.

급작스러워하지도 말고, 당황하지도 말고, 그저 사랑하올 분을 언제나 사랑하면서 살아야지.

약속했잖아? 나 자신에게.

내 마지막 날까지도 나는 사랑만 하며 살 거라고.

감상적으로 변한 것 같지만

또 한편으로는 어두운 구름에 싸인 것 같기도 했지만,

내가 뭐에 둘러싸여 있건 나는 '아무것도 아니'니까,

신경 쓰지 말아야겠다.

내가 죽기 전에 하고 싶은 일들,

내가 사랑하는 이들,

돕고 싶은 이들을 위해 말해두고 싶고 남겨두고 싶은 것조차도,

그날이 온다면 섭리에 맡기고, 지체하지 말고, 그냥 다 아버지 알아서 하시라고,

아버지가 손수 하고 싶어 하시는 일을 내가 갈취하지는 않겠다고

말하며 나 스스로는 다 포기하고 탈탈 털고 나아가도록 하자. 그러면 분명히 죽어서 내가 할 수 있을 일들이 훨씬 더 많아질 거야.

내가 부족해서, 지혜롭지 못해서, 제대로 된 판단을 전혀 하지 못할 수도 있어.

하지만 그래도 괜찮아. 나는 그분을 신뢰하니까.

내 모든 것을 올바르게 만들어 주시고
모두 바르게 베풀어 주시는 하느님을 신뢰하고,
내 모든 것을 정화되도록 도와주시는 성모님, 나의 어머니를 신뢰하니까.

밀알 한 알

그 때 그 영혼의 이야기.

"희생제물이라는 건 어쩌면 '이런 것'이구나, 하고 요즘 느껴요.

정말로 죽음의 통보를 받는 것은
저 멀리서 언제 올지 모르는, 단지 어둠 같은 미지의 죽음을 대하는 것과는 완전히 달라요.

이전엔 하느님을 사랑하는 사람이라면 죽음의 통보를 받으면 아무것도 거리낄 것 없이 단지 즐겁고 기쁘기만 할 줄 알았어요.

그런데 생각보다도 훨씬 슬프고 가슴 아픈 일이었어요.
눈물짓는 일이었어요.

저는 전에 가브리엘 성인께서 이른 죽음의 은총을 청했을 때, 왜 '그 희생'을 하느님께서 받아들이셨다'라고 표현되어 있었던 것인지 이해하지 못했었어요.
그러나 이제는 알아요. 자신이 사랑하는 가족들을 두고 먼저 떠나야 하는 것은 정말이지 큰 희생이에요. 그들이 겪어야 할 슬픔과 눈물을 알면서도 떠나야 하는 것은 정말로 큰 희생이에요.

예수께서는 어째서 모든 인간의 아픔을 겪으셨고, 이해하실 수 있다고 말할 수 있는 것인지를 깨닫게 되었어요.

예수님은 하느님의 뜻을 위해서, 당신의 지극히 사랑하는 성 요셉을 먼저 떠나보내셔야 했어요.
그분은 거룩하신 아버지의 뜻 때문에 인간으로서, 특히 사랑하는 이를 잃는 아픔을 아셔야만 했던 거예요. 그래서 예수는 인간으로서 (가족을) 사랑을 잃는 아픔을 알고 계세요.

그리고 가장 거룩한 하느님의 구원 사업을 완수하시기 위해서, 그 누구보다 사랑하시는 당신의 어머니를 두고 먼저 떠나셔야 했어요.
어머니께서 겪으실 모든 비참한 눈물과 칼에 꿰찔리는 슬픔과 마음과 영혼의 고통을 아시면서도 그분을 십자가 아래 내버려 두고 먼저 죽음을 맞이하셔야만 했던 거예요.

그분은 사랑을 떠나보내는 아픔, 사랑을 떠나야 하는 아픔을 다 알고 계세요. 너무나도 잘 알고 계시는 거예요. 그런 분이 눈물짓고 혼란스러워하는 이에게 말씀하시는 거예요.

"딸아, 한 알의 밀알이 땅에 떨어져 죽으면, 많은 열매를 맺을 것이다…"하고.

그래요, 나의 하느님.
그렇기 때문에 나는 당신의 뜻이 하나도 빠짐없이 제게 이루어 지시라고 청합니다.

좋습니다, 사랑하는 나의 하느님.
내 가족과 이 세상에 비로소 많은 열매를 내기 위한
거름과 씨앗이 되기 위해서

먼저 가족들을 떠나야 하는 쓰라림과 아픔을
성 요셉과 당신의 공로와 합쳐서 바치며
당신의 뜻을 이루기 위해 죽음을 원합니다.

온전한 위탁과 신뢰와 확신과 평화로 가득 찬 희망을 가지고
죽고자 하나이다.

나의 하느님이여, 나의 사랑. 나의 첫사랑. 그리고 마지막 사랑.

나의 영원할 사랑.

하느님만을 사랑하고 당신의 지극히 선하신 뜻을 이루기
위해
이 세상에 태어나고 살았으니

이제 당신의 뜻을 완전히 완수하기 위해서 죽겠습니다,
지극히 사랑하올 나의 사랑이시여."

죽음에 대한 생각

"내가 진실로 진실로 너희에게 말하니, 밀알 하나가 땅에 떨어져 죽지 않으면 한 알 혼자 남지만, 떨어져 죽으면 많은 열매를 맺는다."

그래. 언젠가는 나도 죽을 것이다.
그러나 그날이 오늘일까 내일일까 생각하기 전에,
나는 죽음을 위한 준비를 해야 하는 것 아닌가?

무언가 나는 해야 하는 것이 아닌가?
보잘것없더라도 선행하고 희생하고 사랑하고 노력하면서
그렇게 모아들인 꽃송이들로, 나를 데려가려고 오실 거룩한 도둑을 위한 선물이라도 하나 마련해야 하는 것 아닐까?

요즘 정말 보잘것없이 살고 있는 것 같다.
노력하고 있다. 그래도 난 참으로 보잘것없구나.
그래도 노력하고 있다. 사랑하고 있다.

언제나 잊지는 말아야겠다.
잊지 말아야 한다. 내가 그 어떤 행동을 더 하고
훌륭한 희생을 어쩌다 한 번 실천하였다 하더라도

나는 아무것도 아니며
언제나 완벽히 준비할 수는 없는 것이라고.

내가 이렇게 참으로 거룩하구나-하고 으쓱해 하면서
얼른 나를 안 데려가 주시느냐고 혐오스러운 짓하지 말고,

인내하면서 얌전하게 기다리고 있어라.

언젠가는 분명 그분이 나를 데리러 오실 것이다.
'곧'이라는 것이 일 년인지 삼 년인지 십 년인지 한 달인지
혹은 바로 내일인지 그런 것은 아무것도 모르고 또 알 수도 없다.

성 제라드나 성 요셉 쿠페르티노 같이, 혹은 어느 약속으로 인해
서 하느님으로부터 자신의 죽음의 날을 정확히 알림 받는 은총을
받은 이들이 아니라면, 그건 불가능하다.

그리고 성경에서 그분이 그분의 오심을 도둑에 비유하신 것과 같
이, 예상도 못 할 어느 시기에 정말로 훌쩍 오실지도 모르는 것이
다.

그저 인내해라.
인내해라.
인내해라.

정말이지 나는 그렇게 현명하지 않아서
어떻게 준비해야 할지 모르겠다.

하지만 언제나 이 부족함을 받아들이면서
이 부족함 속에서 노력하고 사랑하고 하루하루 영원에 나아갈 것
이다.

사랑으로 살고 있는가

사랑에서 나오지 않는 모든 행동에 혐오감을 느낀다.
사랑이 아닌 의도에서 나오는 모든 것이 너무도 추하다.
그러나 다른 이들의 행동들에서 그런 것을 발견하면서
나는 정말로 사랑으로 살고 있는가?

나는 겸손으로 살고 있는가?

겸손.

아버지, 나 정말 겸손하고 싶어요.
아버지. 정말이지 당신은 당신 자녀들이라는 존재들한테서 너무나
도 많은 혐오감을 느끼셔야만 했어요.

당신의 가시관.
우리들이 드린 가시관….
아, 아버지. 실망하지 않을 거예요.

사랑으로 살게 해 주세요.
사랑으로 행하게 해 주세요.
겸손으로 대해 드리게 해 주세요.
나는 나를 모르지만 아버지는 아세요. 나를 이끌어 주세요.

성모님을 사랑해요. 이제 아프게 해 드리지 않을 거예요.

아버지. 내 인간적인 의지를 모두 버리고 싶어요.
당신께 못마땅한 모든 것을 바꿔 주세요.

아, 당신은 진정 우리를 사랑하는 고통 받는 예수 그리스도이십니다. 너무도 고통받습니다.

아, 정말이지 사랑이 견디어 내는 모든 추함과 혐오감, 그 인내에 경외감을 느낍니다, 나의 주님.

아버지를 사랑합니다. 이 말이 티끌 없는 진실이 되게 해 주세요.
아버지를 사랑합니다. 이 말이 티끌 없는 진실이 되게 해 주세요.
아버지를 사랑합니다.

아버지를 사랑하나이다. 내 주여.

오! 사랑해요

정말이지 나는 하느님을 사랑해-
나는 하느님을 사랑해-
오, 나는 하느님을 사랑해!

●

아, 하느님! 나의 하느님! 사랑합니다.
아, 이 얼마나 축복받은 영혼인가… 내 영혼아, 너는 참으로 축복
받았으니 하느님을 찬미하자.
하느님의 이름을 노래하자.

●

어쩌지? 신기할 정도로 퐁맹의 성모님께
사랑에 빠져버린 것 같아!

제7부

내면의 고백

참된 사랑에서 행해지지 않는 모든 것
인간이 되신 하느님을 사랑해요
별똥별에 대한 추억
사제를 위한 기도를 방해받다
받아들임과 의탁과 신뢰를 위하여
의로움
사랑고백
그분 안에 녹아 없어지기를
하늘에 계신 하느님을 갈증해요
위대한 하느님과 허무인 나
So be it
죽지 못해 사는 마음
Hear me
공로 없는 천상 도둑
괴로운 날
하나 되게 해 주세요
늘, 매 순간 죽음을 준비해야 해
전능한 당신은 가능하니까
죽고 싶다
별 무리의 별 하나
이 길 위에 굳게 서 있기를

참된 사랑에서 행해지지 않는 모든 것

참된 사랑에서 행해지지 않는 모든 것은 허무이고,

허무에 추함까지 더해져서 암흑밖에는 더 아니다.

아름답지 않다. 전혀, 아름다울 수가 없다.

인간이 되신 하느님을 사랑해요

나약해지신 예수님이 좋아. 우리를 위해 수치를 당하고 부끄러움을 당하신 예수님이 좋아. 우리 때문에 우리를 원해서 오로지 우리를 위해서 당신의 모든 삶의 시간을 다 바치신 예수님이 좋아.

우리 때문에 당신의 모든 감각도 정신도 마음도 사랑도 다 바치신, 이분이 바로 우리의 신이야, 우리 주인이야, 우리 주님이야….

우리를 위해 괴로워하고 눈물 흘리신 주님이 사랑스러워…

우리에게 다가오기 위해 유한有限을 입어서,

괴로움, 혐오감, 몸서리쳐지는 모든 것들을 기꺼이 느끼시고 이겨내신 예수님을 사랑해… 우리와 같은 인성을 취하여, 우리와 같은 '사람'이 되어, 우리를 형제라고, 우리를 친구라고 불러준 하느님을 사랑해…

○ 이미지: 예수 성심과 성녀 마리아 마르가리타 알라코크(edited image, original Image by commons.m.wikimedia.org/wiki/File:Antonio_Ciseri,_Apparizione_del_sacro_Cuore_a_santa_maria_alacoque,_1880,_01.jpg

별똥별에 대한 추억

와! 오늘 처음으로 별똥별을 봤다.

유난히 별이 많은 오늘이었는데, 성체조배 후 성당에서 나와 고개를 들자마자 내 머리 바로 위, 내가 시선을 던진 그 자리에서 별똥별이 순식간에 선을 그으며 날아가 사라졌다.

사람이 정말 놀라면 자기도 모르게 탄성을 지르나 보다.

그때 대단히 차분한 상태였는데도 별똥별을 보자마자 깜짝 놀라서 "와!"하고 소리를 냈다.

아름다운 추억을 간직하면서, 하느님께 빌어본다.

이 별똥별이 내 영혼의 복된 미래를 위한 예언이었기를 바란다고.

사제를 위한 기도를 방해받다

이번 9일 기도 동안 내가 특별히 신부님들을 위해 기도하고 하느님께 감사드리는 것을 보고 마귀들이 악을 쓰고 나를 유혹하고 괴롭히는 중이다. 썩 꺼져! 나는 기도할 거야. 기도할 거야!

받아들임과 의탁과 신뢰를 위하여

아버지. 평화의 하느님. 저는 당신께 의탁합니다.

저는 당신을 온전히 신뢰하나이다. 그러니 침착하겠습니다.

제 영혼이 제 내적 마음이,

단비가 내려도 내려도 목이 말라 쩍쩍 갈라진 마른 땅 같이 느껴져도 실망하지 않겠습니다.

아무것도 담기지 않고 점점 더 비어가는 듯한 내면을 느껴도 실망하지 않겠습니다.

이 가난을 받아들이겠습니다. 잡으려고 애쓰지 않겠습니다.

무언가를 소유하려고 발버둥 치지 않겠습니다. 내 주님.

아버지를 담고 성령을 담고 예수께서 늘 제게 오시는 것으로 만족하겠습니다. 만족할게요.

그러나 제 불충으로 당신으로부터 번개처럼 한순간에 떨어져 나가고 싶지는 않으니 노력하겠어요.

'번개 같은'이라는 표현은 그다지 좋아하지도 않고 쓰고 싶지는 않지만, 제게 경각심을 주기 위해 오늘만 쓸게요.

당신은 제가 당신에게서 멀어지지 않게 꼭 붙들어 매시는 하느님 이라는 사실은 저도 잘 알고 있으니까 안심하세요.

나의 사랑, 나의 예수님. 오늘도 저를 축복하시고

이 가련하고 작은 영혼을 당신 원하시는 대로 쓰시고

또 마음대로 굴리시고 또 사랑해 주시고 친구 삼아 주세요.

주님의 마음을 아프게 하지 않도록 늘 깨어 살아가게 하세요.

하느님, 하느님을 사랑합니다. 이 말이 티끌 없는 진실이기를 바랍니다.

의로움

하느님의 말씀을 지켜야 할 거 아냐.

충분히 할 수 있는 일이잖아.

이기주의와 자기애를 짓밟고 일어서는 의덕으로 예수님을 지켜드 릴 수는 없어?

정신 차려. 이제는 조금이라도 원하지 않을 거야. 정신 차려.

사랑고백

아기 예수님 사랑해요.

아기 예수님 얼른 저를 데리러 와 주세요.

아기 예수님 사랑해요. 사랑합니다.

하느님, 하느님, 하느님, 하느님을 사랑합니다….

그분 안에 녹아 없어지기를

주님을 사랑하면 모든 것을 얻어 누린다고

알고 있어요. 알고 있어요.

하지만 아무것도 바라지 않아요. 주님.

아버지!

아무것도 바라지 않아요.

당신 속에서 완전히 녹아서 사라져 버리는 것 외에는

아무것도 진정으로 바라지 않아요.

없어지고 싶어요. 사라지고 싶어요.

아버지. 아버지.

나는 당신이 '땅 극변까지 가서 찾는' 작은 보석인가요?

예수님, 당신이 땅 극변에서도 찾을 수가 없어서

당신 주변의 모든 존재감 없던 공기가 제 숨결이라는 걸 깨닫고

마는, 그 모든 바람이 사랑이고 흠숭이고 찬가인,

그렇게 해 드리는 존재인가요? 제가? 당신 눈에⋯.

예수님. 모든 것에 감사드립니다.

이젠 제 상황도 아무것도 모르겠어요.

모르지만 사랑합니다.

아무것도 없는 것.

이것이 진리라고….

하늘에 계신 하느님을 갈증해요

사랑이 어디 있어요? 겸손이 다 뭔가요.

내 주변에서 나는 사랑을 보면서도 사랑을 찾을 수 없고

겸손을 어디서 찾아야 할지 알 수 없어요.

"수치스런 자기 추구에서 해방된 자, 진정으로 겸손한 자를 어디서 찾으리오? 아주 멀리, 땅 극변까지 가서 찾아야 한다."

인간···. 인간이란 얼마나 불완전한가···.

우리는 다 어깨 위에 머리라고 불리는 교만 덩어리를 달고 살고 있어···.

나는 깨닫고 마는 것이다. 이 세상에서 내가 바라던 겸손의 그림자도 볼 수가 없을 거라고···. 겸손··· 완전한 겸손은 채워지지 않을 거라고···

이 세상에서는 깨닫고 마는 것이다. 이곳에서는 결코 내가 바라던 존재의 극치를 얻어 누릴 수 없을 거라고···.

심지어 성체를 모셔도 -내가 감히 이런 말을 해도 된다면-내 갈
증은 채워지지 않아서 나는 성 요셉처럼 머리를 쳐들고 하늘을 올
려다보고야 마는 것이다.12)

하늘에서, 저 하늘에서 아버지의 중심에서 완전히 녹아 없어지지
않는 한 나는 이 사랑의 갈증을 채울 수 없을 거라고.

---

12) M.C. 바이즈 수녀 지음, 『성 요셉의 생애』, 박필숙(사비나) 옮김,
크리스챤, p392
    "요셉은 어렸을 적부터 이미 하늘을 자주 우러러 바라보는 습관에
    익숙해져 있었다. …저 하늘 높은 곳에 그의 사랑하는 하느님께서 계
    신다는 의식이, 그의 사고 속에 깊이 박혀 있었고…
    그는 예수에게 말했다. "나의 소중한 아들 예수야! 내가 너와 함께 이
    렇게 자리하고 있고, 또 네가 지닌 신성(神性)을 네게서 항상 느끼는
    이 큰 행복을 누리고 있는데도, 가끔 하늘을 우러러보고 있노라면, 그
    또한 내 마음이 기쁨으로 가득채워지곤 하는구나!"
    요셉의 고백에 예수가 대답하였다. "그것은 놀라운 얘기가 아니예요.
    저 하늘에는 나의 아버지께서 가장 높으신 왕의 존엄과 영광속에 계
    시기 때문이예요.…"
    요셉은 환호성을 질렀다. "오, 천국이로구나! 그곳이 바로 천국이로구
    나! 하늘에 계신 아버지가 어떤 분이신지 볼 수 있도록, 나를 들어 올
    려주실 그 순간이 언제나 될까? 오, 나의 하느님이시여!"
    하느님을 직접 보고 싶어하는 요셉의 열정적인 소망이, 소년 예수의
    마음을 무척 흡족하게 해주고 있었다."

위대한 하느님과 허무인 나

정말 아무것도 이해하지 못하겠어.

구원 사업? 몰라, 나는 알 수 없어.

빛나는 하늘의 사업? 구원의 희생자? 공동구속자?

그건 너무 영광스러워서 경외감에 압도될 정도야.

너무도 영광스러운 구원자의 업적…

그 위대한 분 앞에서 나는 설령 내 기도로 구원을 얻게 된 영혼들이 있다고 할지라도 으쓱하기 위한 미소 하나도 자아낼 수 없을 거야….

나는 구속자가 아니다… 예수님을 제외하고,

우리는 모두 허무이다. 모두 허무이다.

예수님 다음으로 성모님과 성 요셉을 더하고 나면,

-그래도 다 허무이기는 하지만-, 결국은 다 허무인 것이다.

존재와 허무. 존재와 허무가 함께 살아… 함께 살고 있어.

죽어서도 이런 느낌일까?

하느님의 존재로 지탱되는 내 허무를 느끼는 걸까?

예수님의 삶이라고…, 예수님의 삶이라니.

미친 거 같아.

신성이 은밀하게 감추어지거나 적어도 멀찍이 떠나가서

그 안에 남은 인성만으로 견딘 수난의 모든 과정이라고…?

나는 이제 알 수 없어.

So be it

괴로워해라. 실컷 괴로워해라.
매일 주어지는 시련의 조각들에
내 의지를 조각조각 부수어서,

피하고 도망치다가도 다시 돌아와서
다시 맞서고 받아나가라.

죽지 못해 사는 마음

제대로 이룬 것도 없는 걸 알면서도 죽고 싶은 마음은 커져만 가서 괴로워요.

아아, 하느님을 사랑한 그 영혼들은 이런 걸 견뎠을까요?
당신 안에 온전히 녹아들어 하나 되길 바라지만
죽고 싶어도 죽을 수 없는 시간의 무게들을?
그 세월을?

너무 괴롭다. 참으로 평온하고 고요하고 사랑 가득한데
아주 차분한데 괴롭다.

괴로워요, 사랑님.
하느님….

Hear me

성 미카엘, 그리고 천상 모든 천사여,

부디 제가 기도할 때마다 언제든 저와 함께 노래해 주세요!

제 기도에 당신들의 기도를 합쳐서

하느님께 위로, 흠숭, 찬미, 감사, 영광을 노래해 주세요.

레지나 안젤로룸, 천사들의 여왕이신 마리아, 저희를 도와주소서.

예수님의 거룩하신 얼굴이여, 슬픔의 동정녀인 당신의 거룩하신
어머니의 눈물들을 보시고 저희의 기도를 들어주소서.

공로 없는 천상 도둑

아버지께서는 내게 주신 모든 재능이 당신 사업을 위해 필요하지도 않으신가 보다. 이젠 정말 쓰실 생각이 없으신 것 같다.

그래, 사실은 그랬어. 그랬어요. 진실로, 주님 당신께서는 당신의 모든 사업을 하시는 데에 인간의 능력도 도움도 사실 필요치 않으신 거예요. 당신은 충분히 당신 마음대로 모든 것이 가능하신 거예요. 당신이 우리 각자에게 요구하신 것. 사랑. 사랑만이… 그저 그것만이 전부였다고….

주님은 정말이지, 아, 얼마나 인자하신지, 내가 바라던 청은 다 이루어 주셨다. 거지꼴로 점점 무능해지는 어린아이… '영광스러운 일들'을 행하기보다는 차라리 겸손을 위해 포기하는…. 아, 사랑! 인자하신 아버지여!

'양 떼도 없으니 이젠 사랑하는 일만 남았구나!' (십자가의 성 요한)

나는 정말 천상 도둑이 되겠네. 공로도 없으면서 천상에서 사는 거야… 사랑님, 사랑님!

'공로가 없이도 의로운 사람으로 인정받는 이는 복되다'(로마서)

'어린이의 정신'

아, 내가 이런 걸 바랐던가.

이런 걸 바랐었나요?

그랬어요. 알아요. 제 깊은 마음속에서는 이것을 진실로 원했어요.

예수님…. 저는 정말로 하나 밖에는 보고 싶지 않았어요. 다른 모든 거룩하고 선한 빛깔도 제게는 환멸을 주었기에… 당신 말고는 모든 것이 그러했어요. 모든 허무가….

예수님. 제가 너무나 자주 당돌하고, 맹랑하게 구는 것을 알고 있어요.

아버지, 이것이 당신께 지나칠 때가 있었나요?

제 마음을 너무나도 잘 아시는 당신, 그럼에도 제가 만일 당신 마음을 언짢게 한 적이 있었다면 용서해 주세요, 주님.

'어린이가 착하게 군다면, 그건 아버지를 기쁘게 해 드리기 위해

서인 거예요.' (소화 데레사)

보시다시피, 저는 제멋대로에 암흑 덩어리이고,

약삭스럽고 원숭이 같은 인간입니다. 저는 죄인이에요.

그래도 사랑합니다, 하고 말씀드립니다.

이 마음이 주님의 생명수처럼 주님께 활기가 되기를….

그 마음에 온화한 마리아의 손길 같은 따스함을 드리기를….

당신을 사랑하는 것 말고는 더 이상 아무것도 필요치 않아요, 주
님.

괴로운 날

● 괴로워요, 하느님. 그래도 감사합니다.
사랑해요!

● 매일의 고통은 감미로운 하루 양식이야.

하루, 아니 바로 지금 이 순간을 세상에서는 고통과 함께 보내게 되겠지. 그러나 가장 완전하다. 아주 마음에 들어. 예전보다 더 고통의 맛 그대로를 느끼게 된 것도 마음에 들어. 이게 바로 예수님과 마리아 님이 겪으신 고통의 맛이고 이게 바로 사랑이니까.

다른 단맛이 더해질 필요도 없이 이 날 것 그대로의 맛이 좋다.

예수님을 닮고자 하는 생각 없이 사랑한다고 말해봤자 아무것도 아니고 너무 공허할 뿐이야. 잊지 말자. 단지 오로지 우리만을 위해 존재했던 한 여인과 신-인간의 삶을.

하나 되게 해 주세요

하느님, 저를 이곳에 오래 두지 말아 주세요.
당신을 생각하는 시간을 빼앗는 모든 것을 없애 주세요.

저를 빼앗아 가 주세요. 이 세상으로부터….
당신과 가녀린 끈으로 겨우 이어져 지탱되는 시간 같은 건 더
이상 원하지 않아요…

아버지, 당신은 아시지요? 제 마음은 이제 천국의 영광도 원하지
않아요. 천국에서도 제 존재가 없는 것처럼 제 독특한 빛조차도
남겨두지 마시고 당신 빛 안에서 없어져 버리게 해 주세요….

당신 안에서 완전히 녹아들어서
그냥 당신, 당신으로 불리고
그냥 하느님, 하느님의 존재 그 자체가 되어서
당신 사랑의 당신 존재의 불로 타오르는 하늘의 예루살렘에서
그냥 당신과 하나 되게 해 주세요….

늘, 매 순간 죽음을 준비해야 해

하느님께서는 내게 이렇게 말씀하시는 것 같다.

'언제나 준비되어 있어라. 내가 도둑처럼 와서 너를 훔쳐 데리고
갈 테니까.'하고.

정말이지 '언제나'라는 거야. 매일, 매 순간 준비된 채로
어디 다른 데로 새지 말고 올바르게 얌전히 기다리고 있으라고.

사랑이라. 희생이라. 영원… 영원이라.

이런 특은은 인간밖에 못 받지.
그리고 주님과 성인들이 우릴 마중 나온다니.

역시 아버지는 잘 모르겠단 말이야.
정말이지 이상하고 재밌는 분이시라니까.

전능한 당신은 가능하니까

사랑합니다, 하느님.
사랑합니다.

아아, 지긋지긋하네요, 이 현세라는 곳은….

그러나 주님, 혹시 이 말이 주님께 무례가 될까요?

고통을 받고 이겨나가는 것은 재미있긴 하지만
내 마음으로 갈급할 만한 것은 아니에요.

오는 것을 겸손하게 받아들일 마음은 언제나 가지고 있지만
전 그 정도예요. 제가 약은 건지도 모르지만, 더 달라고,
고통에 갈증 난 것처럼 말할 수는 없어요. 예수님,
저는 고통에 "나는 목마르다"하고 이제는 말할 수 없어요.

공로라고…. 주님, 제가 이제 천국의 영광도 바라지 않고
단지 주님과 온전히 정말 완벽히 하나가 될 수 있을 것이기 때

문에 하늘의 예루살렘을 원하는데,

그래서 모든 주님의 삶과 마음을 이 마음속에 간직하고 지내면서
도 더 이상 당신과 하나 되는 것을 제외하고는 아무런 원도 없어
요.

제가 고통받는 것을 이겨내는 것을 보고 주님이 기쁘실 테니까
오래 살고 싶다거나 그런 것도 없어요.

하느님 당신과 하나 되면 온전히 당신이 될 텐데, 그토록 오래
떨어져 있던 영혼이 드디어 품에 안기게 될 테니 더 기쁘실 텐데,

왜 이 귀양살이 땅에서 굳이 당신을 더 닮기 위해 '오래 살기를
원해'야 하나요? 그건 제게 정말로 이상한 생각으로 보여요. 오래
사는 게 '주님의 뜻'이라면 몰라도요. 귀양살이를 오래 하기를 '스
스로' 원하다니. 당신은 바오로처럼 완고한 사람도 한 순간에 열절
한 사도로 만들고, 갓 세례 받은 소년도 당신 이름을 위해 순교할
수도 있게 하실 만큼 전능한 사랑꾼이신데. 하루도 천년 같은 당
신의 시간 속에서 나에게도 그런 사랑 주실 수 있잖아요. 성 요한
마리아 비안네 신부님이 우리도 가능하다고 그랬어요.

당신의 뜻이라면 저는 죽고 싶어요.
그리고 제 죽음의 순간에, 저는 진실로 믿어요.

당신 안에서 올바르게 살았고 준비해 왔다면 나머지 부족한 부분, 나머지 불완전한 부분에 대해서는 그 마지막 날에,

제가 예수님처럼 성모님처럼 깨끗할 수 있도록

저를 완전히 준비시켜 주실 것이라고.

예수님, 제가 너무 건방지고 공로 쌓기에 열심하지도 않아서 죄송해요. 하지만 주님, 저는 공로라는 말이 그다지 와닿지 않아요.

공로 덕분에 다이아몬드를 녹인 액체로 무슨 글씨를 새긴, 발광하는 드레스를 하늘에 마련한다고 해도 그게 다 뭐 어떻다는 건지 잘 모르겠어요. 예수님, 그건 주님의 작품일 테니까 분명 아름다울 텐데도 저는 관심이 없는 거예요…. 정말로, 이젠 다른 건 다 모르겠어요….

그런데 이상하지요? 이제는 천상의 영광도 바라지 않으면서도, 저는 어째서 이 지상에서는 이렇게 쉽게 세속의 거짓된 아름다움이나 하찮은 일에 종종 몰두하고 자주 마음이 쏠리는 거죠?

이건 정말로 우스운 일이에요….

예수님. 예수님. 하느님이신 예수님을 사랑합니다.

제 영혼과 하느님 아버지와의 탯줄과도 같은 예수님께 감사합니다.

저의 온 존재, 제 행동·생각·말·영혼 모두는 예수님의 존재를 통해 아버지께 전달해 주소서.

하느님 다음가는 성모님의 순결을 찬미합니다.

하느님 다음으로 가장 아름다우신 하느님의 어머니는 찬미 받으소서.

참으로 티끌 없고 깨끗하신 어머니는 저의 지극한 옹호자가 되어 주소서. 그 비둘기 같은 눈으로 제게 미소지어 주시고 저를 데리러 오시는 그 날에 제게 그 흰 손을 뻗어,

언니가 동생을 이끌 듯 엄마가 아이를 데리고 가듯 저를 하늘나라로 데려가 주소서. 아멘.

죽고 싶다

아, 빨리 죽었으면 좋겠다.

하늘나라에 가서

하느님 안에서 모든 것을 할 수 있게 되는

그 상태에 빨리 도달하고 싶다.

오늘 죽고 싶다.

그리고 내일 죽고 싶다.

그리고 모레 죽고 싶다.

죽고 싶다.

별 무리의 별 하나

오늘은 오랜만에 밤하늘이 개어 별을 볼 수 있어서 좋았어요.

우리 달이신 성모님, 저도 얼른 데려가셔서 당신을 둘러싼 저 별 무리 중에 별 하나가 되게 해 주세요.

빨리빨리 하늘나라에 데려가 주시면 좋겠어요.

다른 것은 이젠 보지 않을래요.

아무것도 고려하지 말고 한순간에 깜짝스럽게 가도 상관없어요.

어머니, 언니 같은 성모님, 내 사랑스런 퐁맹의 성모님,

당신은 제가 아무리 찡찡대도 하느님 뜻에 어긋나도록 이루어 주실 리는 절대 없으니까 안심하고 지극히 신뢰하는 마음으로 계속 희망하나이다.

나를 완전한 사랑에로 데려가 주세요.

저는 여기서 무슨 거대한 덕행의 모범이 되거나 이름 따위를 남기고 싶은 생각도 없으니

그냥 하늘나라에서 하느님 자녀들의 포대기에 싸인

영원한 하느님의 아이가 되기를 소망하나이다.

이 길 위에 굳게 서 있기를

나는 어린이의 길에서 벗어나지 않을 거예요.

하느님에게는 이런 어린애가 필요하니까요.

당신 같은 사랑스런 아버지의 다정스런 마음에는

거리낌 없고 순진하게 신뢰해 드리는

딸래미가 필요할 테니까요….

믿음의 조각들

●

그래요, 믿어요.

나는 믿어요, 주님. 믿어요!

하느님, 당신이 저를 당신의 심장에 데려가시고

내게 완전한 지복을, 완전한 하느님을

누리게 해 주시리라 믿어요!

●

기도해. 기도해…. 포기하지 마라.

감내하고 견뎌내고 살아가라.

사랑해. 사랑해.

●

괴롭고 사랑스럽고 가슴 아프다.

죽고 싶어요, 하느님.

너무 사랑해서 사랑 때문에

죽고 싶어요.

제8부

원의와 기도

어느 날의 이야기

나도 똑같아서 뭐라고 할 수가 없네.

나 요즘 잘 지내고 있어요? 성령님? 나 착하게 굴고 있는 거예요?

부끄러움 당하고 멸시받고 우습게 여겨지는 것은 이제 즐거워요.

물론 본성적으로는 어쩔 수 없이 종종 거슬리는 일이지만.

그래도 나는 티 없는 성모님은 아닌 거예요….

예수님, 예수님은 십자가의 길(10처, 11처)에서 쓰레기 같은 노예 사형수들의 명령에도 굽히고 순종하고 그들에게 구걸까지 하신 분인데, 나는 뭐죠?

나는 겨우 나보다 더 덕 많은 00들에게 지시받는 것으로도 짜증을 느끼잖아요.

도움을 청하는 사람에게 왜 나는 짜증을 내죠?

알아요, 그렇게 심하지도 않았고, 한 줄기 바람처럼 희미하게 왔다가 사라지는 신경질이었고, 나는 금방 그를 도와주었지만,

나는 정말 이렇게 보잘것없는 사람이에요.

미간을 찌푸리는 건 나의 반의도였는데, 어쨌든 난 더 당신의 마음을 닮고 싶어요.

'마음이 겸손하고 양선하신 예수는 우리 마음을 당신 마음과 같게 하소서.'

이 말대로 해 주세요.

주님께서 보내시는 사랑스런 시련들에 인상 구기지 않게 해 주세요.

성령님, 그러니 저의 용기가 되어 줘요.

친히 저의 사랑과 덕행이 되어 줘요.

바보 취급의 장막

예수님. 나는 당신을 사랑해요.

그런데 저는 제가 이런 미친 사랑을 받고 있으면서도,

가끔 아버지에게서 멀찍이 떨어질 만한 무슨 죄를 지어서,

멀리 떨어져 있는 것 같아요.

하지만 그런데도 알아요, 주님. 나는 늘 당신께 거지처럼 손 뻗고 아이처럼 웃을 거예요. 예수님, 나는 당신을 사랑해요. 당신을 사랑해요. 당신을 사랑해요.

예수님,

예전에는 제가 지금 겪고 있는 이런 일들을

겪어내고 감내하고 즐거운 마음으로 견뎌 나가는 마음가짐 따위,

꿈도 꿀 수 없었고 꾸기도 싫었는데.

마르셀 반 같은, 쿠페르티노의 성 요셉 같은,

그들이 겪곤 했던 바보 취급당하는 삶 말이에요.

그런데 지금 저는 은밀한 즐거움을 느껴요.

여기서 그런 바보 취급의 장막 안에 가려져 있는 덕분에, 제가 당신과 더 가까이 있게 되고 당신은 제게 더 가까워진 기분이 듭니다.

저 바보 취급의 장막이 베로니카의 베일 같이 느껴집니다.

아버지. 저는 이곳에서 아무에게도 인간적인 사랑을 받지 않습니다. 그러나 아버지, 당신이 바로 제 기도를 이루어 주셨으니, 하느님 아버지의 이름은 찬미를 받으십시오.

'그를 동정해서 착하게 대해주던 사람들에게마저도 그는 귀찮은 존재였다.' (쿠페르티노의 성 요셉의 이야기 중)

아버지, 당신이 정말로 겸손과 저 밑바닥까지 내려간 예수 그리스도 왕을 저희에게 주시지 않았더라면,

당신이 저희에게 성 요셉 쿠페르티노 같이
단순함과 천진함과 아이다움과, 오로지 당신에게서 오는 그 은총만으로 성인이 된 그런 성인을 우리에게 주시지 않았더라면,

저희가, 제가, 과연 이런 일을 이런 평온한 마음으로 견뎌 나갈 수 있었을까요? 결코 그럴 리가 없었겠죠.

예수님. 주님께서 제게 주신 모든 감미로운 시련들에 진정으로 깊은 감사를 드립니다.

그 어떤 일이, 고난이, 시련이 온다 해도 그것은 저를 위한 일일 것이며, 저는 그런 고통을 받아도 싼 인간입니다.

그러나 당신의 구원 사업은 얼마나 완벽합니까?

예수님의 삶이란 얼마나 향기롭나요!

이 자리에 와서야, 제가 얼마나 교만하고 자주 윗사람으로 여기고 있는지를 알았어요.

제가 바라던 선물을 이렇도록 신경 써서 주시는 하느님,

찬미를 받으십시오.

찬미 받으세요, 하느님. 하느님.

하느님의 뜻 안에서 현명하게 처신하는 은총을 주세요. 그 속에서 저도 계산하지 않고, 내어주는 사랑을 품으며 더 노력하겠습니다.

하느님. 말 못 하는 벙어리 같은 이 시간에 감사드립니다.

당신과만 말하면 되고, 다른 고민거리도 친히 없애주시니 감사드
립니다.

하느님 정말 감사합니다.

보호를 청하는 기도

성모님, 제 꿈자리를 지켜주세요.

제 방을, 그리고 이 집을 지켜주세요.

천사들의 여왕 마리아 님, 이 집에 당신의 거룩한 천사들을 머무
르게 하시고 원수를 물리쳐 주소서.

사탄의 머리를 깨어 부수는 여인이여!

마리아 님, 마리아 님!

제 마음, 당신이 바꾸어 주세요

다른 사람들의 행동이 정말 위선자같이 보이는데
그런데 이런 그들을 보고 생각하는 나도 위선자 같아.

수많은 거룩한 성인들의 '머리'가 땅바닥에 붙어 겸손을 노래하는데, 내 머리는 저 구름 위의 공중에 떠서 날아다니는 것 같아.

내게 교만이 있는지 겸손이 있는지에 대해
말할 수 없어.
나도 정말 모르겠어.

그저 주님, 주님께서 저를 구해주소서.
제가 오늘 좀 피곤하고 공포스러운 일을 당했다고
투덜거리고 기분 나빠하지 말게 해 주소서.
착한 마음을 가지게 해 주소서.

매 순간 시시때때로 마귀의 혐오스러운 유혹을 겪었던 예수님,
수난의 공포스러운 시간에 마귀들에게 학대당하신 예수님,

당신에 비하면 제가 겪는 것은 아무것도 아닙니다.

그런데도 제가 이렇게나 건방지고 금세 짜증을 냅니다.

예수님, 죄송합니다. 사랑합니다.

'사랑합니다'라고 말하는 이 말이 진실하게 제 마음을 이루어 주십시오. 당신 마음처럼 온유하고 순수하고 순결하고 정결하고 겸손한 마음이 되게 제 마음을 바꾸어 주십시오.

어느 날의 단상

죽고 싶은데도 아직 죽을 수 없고

사람들 사이에서 사랑이 없는 것을 보면서 때를 기다리며 질기게 사는 것도 나쁘진 않네.

예수님께서 이 세상의 사랑 없음을 보며

눈물을 흘리신 수많은 시간 속에 같이 있는 느낌이니까.

괜찮으니까

내가 어떤 상태인지 따지려고 하지 마.

뚫어지게 바라보고 마음에 무리가 갈 만큼 신경 쓸 필요 없어.

별로 심한 것도 아니고 이건

영혼의 암흑 상태일 뿐이니까….

이건 언젠가 태양이 뜨는 날에

사라져 버릴 뿐인

그런 흐린 어느 날인 것일 뿐이니까.

난 괜찮아요.

어느 날의 탄식

죽고 싶다.

자꾸 이런 말 하면 안 되는데

아버지한테 자꾸 이런 소리 들려 드리면 안 되는데

아버지의 뜻이 이루어 지시기를 청합니다-하고

그러고 난 다음에

살아가야지 계속 이러면 안 되는데

자꾸 죽음을 얘기해서

자꾸 꺼내서 죄송해요

제가 삶의 시간을 깎아먹고 있나요?

제가, 낭비하고 있는 걸까요….

주님, 저를 단지 당신 사랑의 희생 제물로 삼아 주시기를 청합니다….

영광스러운… 무슨 기적… 뛰어난 일을 바라는 게 아니에요….

저는 가르칠 마음도 없고, 업적을 원치도 않으며

사람들 사이에 있고 싶지도 않아요….

제 눈, 제 몸, 제 마음…. 주님… 당신 손으로 보호하소서.

이 몸… 이 몸… 언제쯤에야

이 더러운 세상에서, 추악한 원죄의 흔적에서, 육신의 피로에서,

이 어둠의 그림자에서, 사랑이라곤 그림자밖에 볼 수 없는 세상에서

사소한 것들에도 이리 흔들리고 저리 흔들리는

이 몸뚱아리, 이 육신을 버리고

하늘에 갈 수 있을까요?

티 없는 당신과 당신의 어머니는

도대체 우리와 얼마나 다른 건가요?

이건 빛과 어둠의 차이보다도 더 크지 않은가요,

원죄 없고 티끌이 없는 두 육신이 하늘에 오르는 것은 너무 당연
하지 않은가요?

그 두 분, 그 두 분의 육신만이 완전히 사랑스럽다는 건

너무도 당연하지 않나요…

이 육신이 예쁘건 말건

제가 어떻게 사랑할 수가 있겠어요…

아, 사랑 때문에 답답한 세상아.

하루빨리 하늘에 오르기를 소망합니다.

하루빨리 이 육신을 벗어나 당신의 품속으로

날아가길 희망합니다.

괴로워요

괴로워요. 괴로워요.

발에 치이는 모든 것이 괴로움이네요.

슬퍼요. 예수님. 예수님.

사랑 없는 공기에 제가 이렇게나 괴로운데,

그런데 당신은 성당에서 감실에서 신자들 사이에서

그리고 세상에서 이 공기에 얼마나 혹사당하고 있는 거예요…?

아니 당신 같은 결백한 사랑의 심장을 가진 존재가 이걸 견딘다고… 이걸… 너무…. 이건 너무 혹사고 너무 큰 괴로움인데….

하…. 하느님, 하느님! 제가 애걸복걸하오니

저를 데려가 주세요.

저는 사랑하고 싶어요. 사랑하고 싶어요.

하느님을요. 하느님을요….

하느님을…. 나는 너무 괴로워서

이 세상을 떠나고 싶어요…. 그런데 제 뜻대로 하지 마시고

부디 바라오니 하느님께서 제게 유익하다고 생각하시는 그대로

제게 이루어 주소서….

아멘.

조각글

● 순명도 가난의 하나였구나.

● 그는 가난이 얼마나 행복한지를 아직 모르는구나.

그래서 그렇게 말한 거구나.

잃는 것의 중요성을 말하면서 많은 것을 가져야 한다고 말하는,
그래서 우리는 결국 모순덩어리인 거구나.

주님, 당신은 아시니까

그렇군요.

언제나 겸손을 위해 성령께 간구해야 한다는 것은 정말 진실이었어. 그리고 결국 누구도, 나와 가깝다고 자신하는 이들도 나를 모르리라는 것도 사실이었어.

내가 나를 변호할 필요는 없습니다.

그들이 내가 그들 마음에 들지 않았다고, 내게서 찾아내고야 마는 드러난 부족함과 불완전함 때문에 나를 여전히 '어떤 인간'이라 여긴다 하더라도, 그것이 어떻게 거짓일 수가 있으며, 또 그것이 어떻게 진실일 수가 있겠습니까?

저는 언제나 노력하겠습니다, 예수님.

반발하지 않고, 제가 엎어지고 넘어진 것을 보며 제가 바닥에 있는 자라고 여기는 모든 이들이 저를 우습게 여기고 자기가 옳다고 여길지라도 억울해하지 않겠습니다.

아버지, 정녕 제게 오늘도 좋은 시련과 좋은 가르침을 주시고,

겸손을 위해 성령님께 간구할 수 있게 기회를 주셔서 감사드립니다.

주님. 주님. 내 주님. 오늘도 참 감사합니다.

주님. 어쩔 수 없이 저 또한 다른 영혼을 판단하고 자만의 옥좌 위에서 내려다보는 잘못을 자주 저지르지만, 그런데도 저는 하느님을 사랑하고, 따르길 원하며, 당신께 감사드리나이다.

제가 이해받기를 원치 않아요.

오해를 받으면 기뻐하겠습니다.

조심성도 애덕도 없이 판단의 벽을 세운 채 들을 생각이 없는 이들에게,

제가 그런 사람이 아니라고, 제 의도가 그렇지 않았다고

설득하려는 노력도 포기하겠습니다.

다 안다는 듯이 저를 보고 웃더라도,

이미 판단을 내리고 나를 꿰뚫어 보았다는 듯이 말을 마치더라도,

웃겠습니다.

그들도 저도 모르지만,

주님, 당신은 진실을 아시니까.

예쁘신 어머니

아, 예쁘신 어머니….
저 품속에 파묻혀
죽어버리면 좋을 텐데….

영원을 저 품속에 파묻혀
사랑 속에 살아가고 싶다….

어머니, 좋으신 성공의 어머니, 저를 이끌어 주세요.
우리 달려가요.
그래요, 불러만 주시면
우린 달려갈 거예요.

예수님의 입으로

●

말씀을 읽어라. 말씀을 읽어라.

말씀이 네게 해야 할 바를 알려줄 것이다.

너 자신을 이겨라. 감히, 천사처럼 되어라.

●

거룩해라. 거룩하게 살아라.

순결을 잃지 마라. 순결이란 정신의 작용이다.

모든 것에서 자극을 잃게 하고 모든 것을 순결하게 하고

깨끗하게 하고 부드럽게 하는 전적인 순결을 본받아라.

네 정신을 산만하게 하지 마라.

거룩하지 않으면 그리스도인이라 할 수 없다.

거룩하여라. 너의 어머니께서 그러하듯이

순결하여라.

●

소금이 제맛을 잃으면, 무엇으로 다시 짜게 하겠느냐?

너는 너 자신을 이겨라.

누구든지 자신을 버리지 않으면 내 제자가 될 수 없다.

잔 다르크 언니

제가 어떻게 하면 되는 거예요?

잔 다르크 언니, 제게 길을 가르쳐 주세요.

제가 때와 시기를, 순간을, 방향을 알게 해 주세요.

예수의 말씀과 천상 식구들

예수의 말은 내 마음을 따뜻하게 해.

더럽고 더러워서 숨이 막히는 가슴에 정화가 돼.

예수는 말만으로도 나를 정화하고 그 말씀만으로도

거룩함의 아름다움을 알게 해….

질척거리는 진흙에 매력을 느끼면서도

나는 벌레이기 전에 영을 가진 사람이라서

하느님을 모상으로 지어진 하느님을 닮은 인간이라서

그래서 지혜에 사랑을 느끼고 박사 중의 박사,

선생 중의 선생이신 하느님께 끌림을 느껴.

내가 죄를 짓고 내가 죄인임을 알고

내가 나를 버리지 못해서 모양만 그리스도인인 때에도 나는

그분의 진정한 제자가 되고 싶은 열망을 느껴….

나는 거룩함을 원해. 그것은 깨끗하고 티끌 없고

아름다우니까. 몹시도 아름다우니까.

더러움에 구역질이 나고 토할 것 같으면서도

나는 자주 주위를 그 진창들을 들여다보지만

나는 내 눈을 그런 것이 아니라

아버지께로 드리고 싶어.

나도 계속 매 순간 변하는, 나아가는,

거룩함으로 나아가는, 사랑하는 하느님의 자녀이고 싶어.

성인이고 싶어. 성인은 사랑하고, 그들은 순종하고, 정화되고, 깨

끗하니까. 성인은 누구나 순결하니까.

그러니까, 나를 이끌어 주세요. 거룩한 하늘의 형제자매들이여,

당신들이 고통받던 이 세상에 지금 나는 발을 딛고 서 있답니다.

나에게는 모든 가능성이 열려 있어요. 그러니

당신들이 나아간 그 거룩함으로 나를 이끌어 주세요.

거룩한 나의 친구들이여.

천사들이여.

당신을 기쁘게 하는 은총을

어머니, 제가 당신과 주님이 원하시는 대로 공경할 수 있는 은혜를 주세요. 그것이 누구에게나 주어진 은혜가 아님을 저는 알고 있습니다. 그것이 제게 필요합니다. 거룩하신 성가정을 기쁘게 해 드릴 수 있는 하루를 채울 수 있는 은혜를 주십시오….

제 하루를, 아니 제 순간들을 당신을 기쁘게 하는 순간으로 채울 수 있는 힘과 지혜를 제게 주십시오…. 아멘.

나의 구원자를 통해서

아빠. 그럼에도 불구하고

저는 당신이 저를 궁극의 사랑에, 당신 얼굴 주위를 날아다니는 천사 성인의 무리에, 당신 사랑의 가슴에 그 모든 결말에 데려다 주실 것을 믿어요.

제게 믿음이 있음을 알아요. 주님이 주신 영원 같은 믿음, 무지개를 불러오는 믿음….

그러나.

그러나 주님, 저는 제가 당신께 드리지 못한 수많은 봉헌을,

제가 따르지 못한 수많은 당신 뜻을,

제가 놓친 소중한 시간을,

제 도움을 기다리지만 돕지 않은 그 많은 영혼을 생각하며 슬퍼해요.

당신께 드리지 못한 것들 때문에 언짢아요.

지키지 않은 약속들 때문에 언짢아요.

당신을 사랑함으로 채우지 못한 시간을 슬퍼해요.

지나가고 나면 다시는 없을 것들이에요.

소중하다, 로 표현하기에도 너무 가치가 커서

너무 커서, 이 모든 순간이 영원이라서

그걸 알면서 다른 사람들과 다를 바 없이

하등 다를 바 없이 산 세월이 부끄러워요.

예수님. 미안해요. 저를 용서해 주세요.

아버지. 저라는 인간이 이런 인간이라서,

인간이란 애초부터 당신의 자비와 은총에 의지하지 않으면

한 마리의 마귀밖에 안 되는 존재들이라서

그래서 저는 당신께 언제나 제 모든 불찰과 죄악과 부족함 때문에 용서를 빌고 자비를 얻는 처지이지만

원래 그럴 수밖에 없는 처지이지만

그래도 제가 아버지께 미소를 선물하기 위해서

당신 가슴에 슬픔이 아닌 기쁨, 역겨움이 아닌 감탄을 드리고,

솔솔 부는 청아한 바람 같은 순결로 당신의 마음을 몹시도 편안하게 하는 그런 생활을 할 수 있으면 좋겠어요.

당신의 거룩하신 마리아, 그토록 고귀하고 아름다운,

사랑스럽고 사랑받는 마리아를 닮아

저도 그럴 수 있으면 좋겠어요….

말만이 아니라 생활로, 온 마음과 생각과 행위와 몸과 정신을 다하여 실천하고 증명할 수 있었으면 해요.

당신 눈에 당신 가슴에 내가 고귀한 존재이길 바라요.

당신께서 보시기에.

예수님. 우리 구원자 예수님.

한 명의 비천한 마리아 막달레나를 하나의 세라핌으로 바꾸어 주실 수 있는 우리 선생님, 스승님, 어린 양이여.

저를 키워 주세요. 궁극에 도달할 수 있도록

죄로 당신을 슬프게 하지 않을 수 있도록

누구도 중상하지 않고, 사랑할 줄만 알고

사랑이 될 수 있는, 그런 영혼이 되게 해 주세요.

그렇게 해 줘요. 나의 구원자 예수님.

성녀 파우스티나의 일기 중 -

"이 자비의 샘에서 자비를 퍼 올릴 수 있는 그릇은 신뢰밖에 없다는 사실을 전하여라.

신뢰하는 마음이 클수록 내 관용에는 한계가 없을 것이며 겸손한 영혼에게는 은총의 급류가 흐를 것이다.

교만한 영혼에게는 가난과 비참함만이 남을 것이다.

왜냐하면 내 은총은 교만한 사람을 피해 겸손한 사람들을 향해 흐르기 때문이다.

너는 어린아이 같기 때문에 내 성심 곁에 머물게 될 것이다.

너의 단순함은 네가 치른 희생보다 더 값진 것이다."[13]

: 원래 내 일기장에는 책에서 본 글귀들을 잘 옮겨 적지는 않지만, 이 말씀은 몹시 마음에 들었기 때문에 적고 싶었다.

---

13) 소피아 미칼렌코, 『자비는 나의 사명』, 서요셉 옮김, 아베마리아(푸른군대). 파우스티나 성녀의 일기 1602의 내용

5월의 잔 다르크 소식을 듣고

5월 15일에 프랑스에서 잔 다르크 성녀에 대한 대행렬이 있을 거래요.

예수님, 제가 그날에 프랑스에 있진 못 하겠지만, 부디 제 영혼으로 그 행렬에 참여하여 성인과 아버지, 예수님, 그리고 성령님께 영광을 드릴 수 있게 허락하여 주세요.

그런 은총을 제게 내려 주세요.

거룩함을 사모하며

아버지, 여기서 제가 뭘 해요. 제가 어떻게 해야 하는 거예요.

이게 뭐예요. 이렇게 숨 막히는, 이렇게 거룩함이라고는 우주의 공기처럼 희박한 이 세계에서 저더러 어쩌라는 거예요.

이럴 거면 왜 계속 살려두시는 거예요. 저는 너무 숨 막히고 목이 마른데…. 당신을 알고 싶은데 저는 당신의 심정은 눈곱만큼도 이해하지 못하고 당신 심장에 담긴 것들을 알아주지도 못해요.

저는 거룩함 속에 있지 않으면 다른 이들처럼 타락하기가 그토록 쉬워서 그래서 날 보호해 줄 거룩한 신앙의 환경이 필요한데….

내 의지 같은 거 줘도 가지고 싶지 않으니까 도로 가져가 버리세요. 나 같은 게 내 의지를 제대로 사용할 수나 있겠어요? 더러운 시궁창 벌레 같은 인간이….

저를 구해 주세요. 저를 거룩함으로 이끌어 주세요.

보세요, 주님, 저는 이렇게도 거룩함을 원하는데….

저는 안다구요. 세상 저 곳곳에는 저보다 더 거룩하고 **훌륭한** 삶을 사는 이들이 아주 많다는 걸 안다구요.

그들은 그렇게 잘 살고 있는데 나는 너무 괴롭다구요.

제가 거룩하게 사는 것에 너무 더뎌서 그래서 괴롭다구요.

영혼이 하도 거룩해서 받는 무고한 이의 숭고한 괴로움은 기쁨이잖아요. 그건 초자연적인 기쁨이 되는 괴로움이잖아요.

내가 지금 겪는 하급한 괴로움과는 다르다구요. 나는… 살고 싶어요. 거룩하게 살고 싶어요. 그럴 수 없다면 살고 싶지 않아요.

이 세상을 더 즐기기 위한 여분의 시간 같은 거 내게 더 주실 필요도 없어요. 나는… 사랑하고 싶어요. 제가 사랑하기 위해 가장 **훌륭한** 시기에 저를 죽여주세요. 제가 주님 안에서 드디어 주님께서 "오너라!"하고 미소로 불러주실 그날이 올 때 저를 데려가 주세요. 저를 거룩한 사랑 안에서 살게 해 주세요.

가르쳐 주세요

예수님, 당신이 원하시는 길을 제게 알려 주세요.

당신이 원하시는 그것을 제게 가르쳐 주세요.

저를 당신 뜻을 모르는 불행에서 구원해 주세요.

제게 거룩한 겸손을 주시고 저를 완전한 사랑에로 이끌어 주세요.

예수여, 당신은 그럴 힘과 권능이 있으시니

저를 일으켜 당신의 위대한 사랑의 자녀가 되게 해 주세요.

주님의 표시를 알 수 있도록

그분은 언제나 내게 중요한 행동의 실천을, 길을 알려 주었어.

그러니 난 주님이 주시는 표시를,   사인들을 놓쳐버리는 짓은 하지 않을 거야.

주님이 내게 주시는 신호들을 나는 기민하게 알아차리도록 노력할 거야.

그러니 성 가브리엘 대천사님, 저를 도와

제가 주님의 길을 주님의 뜻을 주님의 말씀을

새겨듣고 그대로 따르게 하소서. 아멘.

제9부

그 모든 소망

Cleanse me, my Lord
순수함에의 동경
인간을 견디는 하느님은 굉장해
마음을 다잡으며
한탄
함께해 줘
위로 받으시기를
알아서 하세요
성가정의 향기를 사모하다
두려움
신부님의 꿈
Pray for…
거룩하고 순수한 아이들을 닮아
하나 되게
사랑 때문에 죽기를
이름의 무게감
세기를 넘어서
열정에 대한 피로감
지금 이 순간의 사랑

Cleanse me, my Lord

●

제 욕심이 제 마음 안의 사심이 제 눈을 흐리는 일이 없게
저를 다스려 주시고 정화해 주세요, 나의 주님.

●

예수야, 괴로워. 고마워. 사랑해. 예수야, 너를 사랑해. 사랑해.
예수야, 사랑해. 너만을 사랑해. 그러기를 원해. 너만을, 너만을.
너만이 내 구원. 너만이 나를 눈처럼 희게 정화하고 나를 사랑해
주고 나를 천사처럼 만들어 주고 나를 위해줄 줄 아는,

나를 영원히 살리려고 피를 쏟는 인간 제물이 되었던 너는,

이스라엘 예루살렘에 마련된 제단 위에서 너의 피로 세상을 구한
하느님의 어린 양인 너는,

너는 나의 왕이고 구속자이고 나의 사랑의 예루살렘이고 영원한
예루살렘이야.

순수함에의 동경

나도 깨끗하신 마리아 같으면 좋을 텐데

나도 거룩하고 싶어 아주 깨끗하면 좋겠어

나도 마리아처럼 티 없이 거룩하고 순수할 수 있으면 좋겠어

이 세상에 사는 것이 너무 괴로워

더럽고 더러워서

나는 거룩하고 거룩한 공기가 필요해

예수 예수 거룩한 예수

나를 살려 줘요

나를 거룩하게 살려 주세요

거룩하게 살게 해 주세요.

세상이 너무 더러워요

숨이 막혀요 역겨워요

나를 살려 주세요

인간을 견디는 하느님은 굉장해

하느님. 영적인 것은 왜 이렇게도 눈에 보이지 않아서

사람을 깨달음에 둔감하게 하는 거죠?

영적인 눈이 깨인 사람은 얼마나 되나요?

어째서 사람의 영적이고 정신적인 추악은

이다지도 외적으로는 보이지를 않아서

경각심을 더 오래 잠든 채로 두는 걸까요?

겉으로 드러난다면 더 일찍 더 명확히 깨달을 수 있을 텐데.

영적인 눈. 영적인 기상 상태는 너무도 어렵잖아요.

그냥 차라리 겉으로 드러나면 좋을 텐데. 드러나면 좋을 텐데….

자신의 추악함을 볼 수 있게 된다면 좋을 텐데… 아니, 하지만
그렇게 되면 거의 모두가 자신의 마귀 같은 모습에 충격을 받아
죽어버릴 테지….

자신의 영적 상태를 있는 그대로 보는 것도

하느님에게서 오는 '은총'이기 때문에

사람은 그 은총을 당연한 듯이 가지고 있을 자격이 없다.

사람은 그런 은총을 얻는 것을 겸손한 마음으로 청해야 하는 것이고 그것을 주는 것은 하느님의 마음이다.

인간은 대단히 착각하지만 -언제나 그렇게도 불손하고 오만해- 어느 은총도 고개 뻣뻣이 들고 당연하다는 듯 요구할 권리도 없고 자격도 없다.

오만불손한 인간. 더럽고 역겨운 인간. 하느님의 자비와 빛 없이는 마귀 말고는 아무것도 아닌 인간….

세상은 너무도 어렵고

경건함이란, 사랑이란, 타락과는 종이 한 장 차이이면서

억만 광년은 멀어….

사람들은 언제나 저 좋을 대로만 생각하고

성찰하기를 원하지 않아. 변하기를 원치 않으니까.

당신은 이런 우리를 보며 무슨 생각을 하시나요?

당신은 어째서 이 모든 답답함을 견디죠?

당신은 도대체 무슨 존재여서. 당신은.

당신은….

마음을 다잡으며

● 성 안토니오 오빠의 축복이 오늘 나와 함께 하기를.

●

자꾸 괴롭다고 하니까 마음도 자꾸 우울해지는 것 같았어요.

그러니 앞으로는 좀 더 즐겁고 좋은 말을 많이 할게요.

나는 언제나 기뻐하고, 사랑하고, 기도하고, 감사해야 하니까. 그렇지요?

오늘부터 나는 좀 더 웃을게요. 당신이 나와 함께 있으니까, 기뻐할게요. 당신께 좀 더 내 하루의 모든 이야기들을 들려주고 당신과 순결하고 깨끗한 사랑을 나누도록 할게요.

한탄

예수야. 이 세상의 빛을 원하지 않아.

세상이 말하는 멋짐과 빛남에서 나를 멀어지게 해.

나는 죽어야만 해… 무엇보다도 나의 뜻에서….

나는 입만 나불거리는 사람이 되고 싶지 않아.

그저 그런, 그럴싸한 신자로 살고 싶지 않아.

그건 신자 행세일 뿐일 테니까….

너의 이름이 칼이라고.

네 이름은 그렇게 사랑스러운데

미워하는 자와 사랑하는 자를 가르고

증오로부터 미움을 받아.

그러나 너는 완전한 성심을 가지고 있으니까

괴로워하지 않을 수 없을 거야. 아주 작은 미움에도.

왜 이렇게 혹사당해야 하는 걸까.

내가 온전히 너를 따르고 있는지 확신할 수 없어.

적당히 나를 위하고 삶을 즐기면서 살 수가 있을 거야.

그런데 그런 상황에서 온전히 너를 사랑할 수가 있어?

내가 나를 아주 조금이라도 좋아하면서

이러면서 내가 완전해질 수가 있어?

완전한 진리를 알고 거룩한데

어떻게 본연의 나를 사랑할 수가 있어?

언제나, 무언가 하나 내 것으로 빼 두고

너를 사랑한다고 거짓말하는 거 같잖아.

솔직히 잘 모르겠어. 나는 아직 뭘 잘 모르는 것 같아….

이 세상을 미워하면 영생을 얻는다고 했어.

모든 즐거움이 괴로움이야.

인정하지 않을 수는 없을 만큼

즐거움을 좇는 것은 괴로움이야.

함께해 줘

예수야, 네게 고마워. 예수야, 난 널 사랑하고 감사해.

고마워 예수야. 나도 기도 열심히 할게.

노력할게.

언제나 내 선택에 함께해 줘.

위로 받으시기를

예수님, 당신이 당신의 이름을 들어 모욕하고 비아냥거리는 사람들로부터 상처받지 않았으면 좋겠어요.

그들은 당신을 몰라요. 그들이 당신을 진정으로 안다면 그런 말을 결코 함부로 하지 않을 거예요. 당신을 존중할 줄을 알 거예요.

그러니까 당신이 그것 때문에 슬퍼하지 않았으면 좋겠어요.

저는 당신을 사랑하고, 앞으로도 영원 속에서 당신께 감사하고 당신을 사랑하고 당신을 찬미하는 영혼들이 많이 생길 테니까.

당신은 많은 사랑으로 위로를 받기를 바라요.

당신은 사랑스러워요. 당신의 이름은 너무도 아름답고
당신의 이름을 부르는 것만으로도 내겐 위로가 되어요.

당신을 알지 못하는 사람들에게는 안된 일이지만
얼마만 한 행복인가요, 당신을 사랑할 수 있다는 건!

우리에게 이런 자비를 베풀어 주신 당신께 감사해요.
그런 당신을 보내주신 우리 하느님 아버지께 감사해요.
성령께서 우리와 함께 계시면서 앞으로 더 많은 이들을 이끄시고
가르치시기를 청해요.

오늘도 당신은 찬미 받으세요, 나의 예수님!

알아서 하세요

저는 몰라요.

알아서 하세요. 그냥 알아서 하세요.

나는 주시는 대로 그냥 받겠습니다.

제가 구질구질하게, 추하게 굴지 않게 해 주세요.

그저 주시는 대로, 겸손과 순종과 감사를 다 한 마음으로

그저 당신께 찬미 드리게 해 주세요.

성가정의 향기를 사모하다

내가 예수를 잃으면 어떡하죠?

나는 성가정의 향기를 너무도 좋아해요.

나는 그분들의 향기를 닮지 않으면 안 돼요….

나는 나를 위해 내게 찾아와 웃어 주었던

그 소년 예수를 영원히 안고 있을 거예요.

나를 이끌어 주세요.

내게 알려 줘요.

내게 지혜를 줘요, 성령님.

정말로 내가 지혜가 부족한가요?

귀가 먹어서 당신의 속삭임도 외침도 들을 수 없는 거예요?

나는 사랑하고 싶어요. 알려 주세요.

알려 주세요, 사랑이 나를 완전히 변모시키기 위해

나를 원하는 그 길로 나를 이끌어 주세요.

내가 하는 모든 일이

당신의 영광을 위한 것 외에 아무것도 아니게 해 주세요.

두려움

내가 교만한 것 같아서 괴롭다.

부질없이 자신이 얼마나 더 교만한가를 서로 경쟁이나 하는 것이
괴롭다.

겸손의 모범이라고는 찾아볼 수도 없는 환경에 질린다.

나 자신을 알 수가 없어서 질린다.

자, 나를 좀 봐, 난 이렇게 모든 걸 알고 있고 경험이 많아.

들어 봐, 내 말을. 내가 이렇게나 지혜롭잖아. 나를 인정하는 게
어때? 너는 나를 추앙해야 해. 너는 나를 떠받들어야 해. 나를 알
아봐 줘야 해.

이딴 말이나 하는 세상이 싫다.

언젠가 보고 아름답다고 여겼던

고결함과 거룩한 가난의 단맛을 잃어가는 것이 두렵다.

신부님의 꿈

아아, 왜 OOO 신부님 꿈을 꾼 건진 모르겠지만, 어쩌면 최근에 내가 그분을 위해 특히 기도를 드렸기 때문인지도 모르겠다.

그런데 그분과 관련해서 좋은 꿈-난 좋은 꿈이라고 생각한다-을 꾸고 나니까 왠지 기운이 샘솟는다.

사제들을 위한 기도가 내 모든 원의와 지향을 충족시켜 줄 것이라는 깨달음도 얻었다.

연옥 영혼을 위해서도, 죄인들의 회개를 위해서도, 내 모든 지향을 위해서도, 사제가 미사를 드려 주고 기도해 주고 주님께 아뢰어 준다면 그보다 더 좋은 것도 없을 것 같다.

앞으로는 신부님들을 위해서, 사제들을 위해서 더욱 기도하고 희생 보속을 바쳐야겠다.

Pray for…

예수야, 나는 언제나 네가 좋고

너와 우리의 어머니께 천상의 인사말을 드리는 것이

매우 기쁜 일이라는 것도 느끼고 있어.

희생이라든가.

사랑이라든가.

기적. 기도. 바람이라든가.

순결이라든가. 희망이라든가. 용기라든가.

거룩함을. 순명을.

내가 잘 지켜나가는 하루를

언제나 언제나

은총을 낭비하지 않는 삶을

거룩하고 순수한 아이들을 닮아

아이들은 순수하다.

그들은 과감히 청한다. 감히 청할 줄을 안다.

인간적인 지식으로 가려지지 않았기 때문에

대담하게 다가갈 줄을 안다.

아기 예수님께 입 맞추도록

감히 마리아께 바랄 줄을 알았던 소년 목자 레위처럼14)

그들은 언제나 한발 앞서 하느님께 다가간다.

나도 소년 예수의 친구가 되고 싶어.

그 아이와 놀고 그 아이와 그 어머니를 통해서

하느님께 다가서고 싶어.

---

14) 마리아 발또르따, 『하느님이시요 사람이신 그리스도의 시』 제1권,
크리스챤 출판사, 「49. 목자들의 경배」 내용 중
　""아기 옷에 입맞추게 해 주세요"하고 레위가 천사와 같이 웃으며
말한다. 마리아는 예수를 살그머니 들고, 건초에 앉아서 린네르천으로
싼 조그만 발을 입맞추라고 내민다. 수염이 있는 사람들은 먼저 수염
을 닦는다. 거의 모두가 눈물을 흘린다. 그리고 떠나야 할 때에는 마
음을 구유 곁에 남겨둔 채 뒷걸음질로 나간다……."

하나 되게

너는 '네가 나를 사랑하면, 내 계명을 지킬 것이다'하고 말했어.
내 사랑은 아직 완전하지 못해.

나는 원의를 가지고 있어.
나를 사랑해 준 너를 나도 온전히 사랑하기를 원하는 소망을.

예수야, 나는 네 어머니가 흘린 눈물의 원인이 된 적이 수없이 많이 있었고
네 가슴에 둔통을 느끼게 만드는 몹쓸 인간이기도 해.

그러나 나는 네 심장을 쥐어뜯고 너를 아프게 하는 영혼으로 남고 싶지 않아. 나는 원해.
봄바람 같은 위로가 되는 거룩하고 순수한 영혼이 되길 원해.

내가 네게 위로가 되고 네 심장의 아픔을 보듬어 주고
네게 미소를 선물하는 하느님의 자녀이기를 원해.

죄인으로 남고 싶지 않아.

삶을 성인의 삶으로 만들고 싶어.

후회하지 않게 사랑하고 싶어.

나를 성인으로 만들어 줘.

나를 사랑으로 변화시켜 줘.

내 암흑 같은 어두운 인간성을 박살 내고

네 거룩한 신성과 인성을 숨결처럼 불어 넣어 줘.

내가 변하게, 너를 사랑하게, 너를 닮게,

너를 흠숭하게

내가 너의 존재와 하나 될 수 있게

나를 일으켜 세워 줘.

사랑 때문에 죽기를

죽음에 대해 가볍게 여기고 싶지 않아.

알량한 마음으로 죽음을 대하고 싶지 않아.

사랑 때문에 죽기를 원해.

사랑이 차고 흘러넘쳐서, 주체할 수가 없어서

더 이상 이 세상에 발을 붙이고 있을 수가 없을 만큼

하늘에 끌려서

그 사랑이 내게 날개를 달아주고

나를 천사처럼 만들어서

하느님이 계신 아버지의 사랑의 영원에로

나를 날아가게 하는 그런 죽음의 새 시작을 원해.

이 세상이 힘들어서, 단지 지쳐서,

단지 무료해서, 그런 게 아니야.

내가 원하는 죽음은 그런 원의로 오기를 바라지 않아.

완전히 사랑하고 싶기 때문에

죽음을 원해.

완전한 사랑에 대한 원의로 너무 괴로워서

죽음을 얻는 사랑의 순교를 원해.

이 세상의 족쇄, 세속이 묶어둔 발목,

스스로 졌던 무거운 가방을 내려놓고,

자유로운 몸이 되어 하느님의 사랑 속으로 날아가고 싶어.

이름의 무게감

이름의 의미를 안다는 것은 좋아.

그 무게감이 좋아.

그 이름의 소중함, 위대함, 숨겨진 깊은 뜻.

길을 닦고 준비시키는 거룩한 세례자 요한의 이름.

그것은 그가 외치는 '다가올 그 분'의 사업이

자비로 인한 것임을 가르쳐 줘.

예수의 이름.

그의 이름은 너무도 무거워서

이 세상에 더는 없고

발음, 단어가 같은 그 이름을 다른 누가 똑같이 사용한다 하더라

도 같을 수가 없을 이름이야.

예수. 구원자. 구속자. 구원을 위해 존재를 바친

하느님의 단 하나뿐인 티 없는 어린 양.

이 세상의 구속자.

당신의 위대함. 당신의 사랑. 당신의 존재를 드러내는 것은

바로 예수라는 당신의 거룩하신 이름입니다.

하느님. 야훼.

스스로 존재하는 자.

존재하는 모든 것을 존재케 하는 자.

그 이름의 심오한 의미는 도저히 입으로 말할 수가 없고

차마 무게로도 표현할 수가 없고

너무도 거대해서, 거룩해서 차마 형용할 수가 없는

위대하고 전능하신 우리 하느님의 이름이야.

세기를 넘어서

세기를 넘어서
하느님의 훌륭한 성인 형제자매들과
친구가 될 수 있다는 건 경이로운 일이야.

그들의 삶은 단지 추억으로 끝나지 않고
계속해서 이어지고 있어.

그들이 나와 동시대에 살지 않았다고 해서
아쉬워할 것은 도무지 없어.

그들은 이제 하늘에서 빛으로 옷을 입고
우리의 든든한 힘이 되어주고 있으니까.

나는 하늘의 형제들을 사랑함으로써
그들과 친구가 되고 그들의 도움을 받아.

수천 년 전, 수백 년 전 삶을 영위한 언니오빠들이

지금도 영원에 살면서 내 가족이 되어 줘.

언제든 난 친구를 만들 수 있고
과거에 성인들이 많으면 많았을수록 더 좋아.
내게는 거룩한 성인 가족들이 아주 많이 있어.

세기를 넘어서
나는 훌륭한 친구들을 가질 수 있어.

열정에 대한 피로감

열정이라고.

난 열정이라는 말을 그리 좋아하지 않아.

예수의 열정. 예수의 사랑으로 인한 열정을 제외하고는

어느 열정도 사심 없이 깨끗할 거라는 생각이 들지 않아.

우리는 언제나 인간적인 동기로, 인간적인 열정으로,

그 자신의 무언가를 추구하고

그 자신의 무언가를 돋보이게 되기를 바라지….

나를 나 자신에게로 이끄는 열정이라면

아무것에도 열정이 없는 편이 좋아.

차라리, 그것이 좋아.

열정…. 그것을 나는 잊어버렸으니까.

나는 상관하지 않을 거니까….

지금 이 순간의 사랑

예수님, 당신은 오늘도 안녕하시나요?
당신이 어떤지 궁금해요. 오늘은 좋은 시간 보내셨어요?

나는 당신이 궁금해요.
그리고 정말 즐거워요.
예수님, 저는 지금 이 순간 당신을 사랑할 수 있어서
정말 행복해요.

다른 사람들이 무슨 상관이에요?
내가 누군가의 눈에는 우스워 보일지 몰라도

그런데도 나는 지금 당신을 사랑할 수가 있어서
아, 얼마나 행복한지 몰라요.

아아, 사랑아, 그대는 오늘도 잘 있나요?
내 사랑에 당신은 만족하시나요?

보세요, 사실 이토록이나 어설픈데도

그래도 너무도 사랑해요.

예수님, 가엾고 사랑스러운, 이 작은 죄인의 심장을 들여다보세요.

이토록 작고 보잘것없지만 당신에 대한 사랑으로 뛰고 있어요.

당신을 생각하며 뛰고 있어요.

예수님, 당신이 내게 많은 것을 요구하지 않는다는 걸

당신은 그렇게나 내게 그다지 별 다른 것을 요구하지 않았다는 걸 알고 있어요.

역사책에 남고, 훌륭한 교회의 모범으로 기록되는 수많은 거룩한 언니오빠들의 자리는 그들의 것이고

나는 착한 아버지처럼 하늘에 가서 나를 위해 거처를 마련한 예수 당신의 지휘에 내 안위를 맡겨요.

내 영의 모든 미래를.

당신은 내가 믿고 의탁할 수 있는

몹시도 믿음직한 예수이니까요.

다른 것은 상관없어요. 아무래도 괜찮아요.

당신을 사랑해요. 당신을 사랑해요.

내가 부족한 거 알아요. 그래도 나는 당신을 사랑해요.

영원히 사랑하고 사랑할래요.

영원히 믿고 희망할래요.

내 모든 원은 당신께 바랄래요.

작가의 말

　평소 스스로 기록한 글을, 생각보다는 자주 들추어 보지 않습니다. 이렇게 책으로 엮는 작업을 하며, 처음으로 자주 들여다본 듯합니다.

　이 어린 날의 아이가 하는 생각과 지금은 달라진 부분도 있고, 이때의 나를 생경한 것 보는 기분으로 바라보는 때도 왕왕 있었습니다.

　어제의 나와 오늘의 나도 다른 건 매한가지지만, 오늘 아침의 나와 저녁의 나가 다르고 아까의 나와 지금의 나가 다른 하루들을 뼛속 깊이 실감하는 요즘, 수년 전의 기억을 되짚으며 정리해 보는 것도 참으로 좋은 경험이었음을 느낍니다. 치기 어린 아이의 맹랑한 이야기들에 때론 웃음이 나기도 했지만, 지나온 모든 경험과 기억들이 여전히 지금의 나에게 영향을 주고 있음을 체감합니다.

처음 『빛의 책』을 구상하며 넣기로 결심했던 분량이 비로소 마무리되었습니다. 다소 어중간하게 마무리된 기분도 들지만, 이 시기 이후로는 어둠 속을 헤매는 시기를 오랜 기간 보냈기 때문에, 『빛의 책』에 담기는 내용은 이것으로 충분한 듯합니다.

처음 출간 여정을 걸으며 너무나도 많은 시행착오를 겪어 괴롭기도 했지만, 모두 발전과 배움, 그리고 인내를 닦는 기회가 되었기에 하느님께 감사드립니다. 모든 하느님의 자녀들에게서, 하느님께서는 영광 받으시기를.

나아간다고 생각하면 어느 순간 너무 멀어 보이는 오묘하고 신비로운 영적 여정의 길을, 그럼에도 포기하지 않고 가고 있는 모든 분을 응원합니다.

분명 캄캄한 어둠과 한 치 앞도 보이지 않는 안개 속에서 가야만 할 때도 있습니다만, 하느님에 대한 사랑으로 항구하게, 진리속에서 올곧게 나아가, 모두 하늘에서 만나기를 희망합니다.

PAX TECUM.

2024년 1월 17일

퐁맹의 희망의 성모 축일에

한사랑